**RAFAEL FENTE**
Universidad de Granada

**JESUS FERNANDEZ**
Universidad de Madrid

**JOSE SILES**
Universidad de Madrid

# CURSO INTENSIVO DE ESPAÑOL

## EJERCICIOS PRACTICOS

### NIVELES INTERMEDIO Y **SUPERIOR**

DECIMOSEXTA EDICION

**EDI - 6, S. A.**
General Oráa, 32
28006 MADRID

Primera edición, 1967
Segunda edición, 1969
Tercera edición, 1971
Cuarta edición, 1973
Quinta edición, 1975
Sexta edición, 1976
Séptima edición, 1977
Octava edición, 1978
Novena edición, 1979
Décima edición, 1980
Undécima edición, 1981
Duodécima edición, 1983
Decimotercera edición, 1984
Decimocuarta edición, 1985
Decimoquinta edición, 1986
Decimosexta edición, 1987

ISBN 84-85786-18-1

Depósito legal: M. 19937-1987

**Impreso en España - Printed in Spain**

Selecciones Gráficas. Carretera de Irún, km. 11,500. Madrid (1987)

# NOTA A LA UNDECIMA EDICION

*Después de catorce años de existencia, tras haber sido utilizado por estudiantes y profesores de todas las latitudes,* Curso intensivo de español - nivel intermedio y superior, *vuelve a aparecer renovado; la tercera renovación en el curso de su ya dilatada peripecia.*

*Pidiendo disculpas por la jactancia que ello pueda aparentar, hemos de decir que la vigencia de esta obra nos habría permitido sin duda el dejar el libro tal y como estaba tras su segunda modificación en 1971. Pero no nos ha parecido que así hubiéramos pagado la deuda contraída con tantos profesores y estudiantes de las más diversas nacionalidades.*

*Un libro de este carácter no puede por menos de sufrir en su entraña el deterioro del tiempo, y así nosotros hemos visto cómo se imponía actualizar fechas, datos concretos sobre personas, sucesos, precios, usos, etc.*

*Hemos creído nuestro deber no defraudar los consejos y sugerencias de muchos colegas y amigos que nos han pedido un esfuerzo por poner al día este instrumento que tan eficaz ha resultado ser para la enseñanza del español y que se ha convertido en un clásico en su género. Así, pues, hemos acometido en profundidad una remodelación del libro y ello tratando de estar en consonancia con los avances de la moderna lingüística aplicada en materia de enseñanza de idiomas. El resultado de dicho empeño es la versión que el lector tiene en sus manos. Para todos aquellos que ya estaban familiarizados con el libro resultarán evidentes los siguientes cambios:*

a) *Se han suprimido una serie de ejercicios que se han revelado como poco operativos. Nos referimos concretamente a la «explicación de acciones» existentes en las anteriores ediciones.*

b) *Por el contrario, ha habido un considerable aumento de ejercicios que se han venido echando en falta en los últimos años, de los cuales los más dignos de destacar son los referentes a usos de los tiempos del indicativo, subjuntivo, usos de la par-*

tícula 'se', la voz pasiva en todas sus manifestaciones y ejercicios léxico-semánticos de sinónimos, antónimos y afijación.

c)  También han sido objeto de tratamiento especial los ejercicios sobre frases verbales, verbos específicos y estilística del adjetivo, que se han renovado en gran medida y se han cambiado a lugar más idóneo en algunos casos.

d)  Se ha llevado a cabo una cuidadosa actualización o puesta al día de fechas, vocabulario, datos e información de todo tipo que aparecían en frases del libro y que ya acusaban la natural erosión del paso del tiempo.

Fruto de toda esta labor de revisión general y a fondo han sido los doscientos ochenta y ocho ejercicios que componen las cincuenta y ocho unidades de esta versión.

En todo este plan de renovación ha sido preocupación fundamental de los autores sintonizar con las necesidades actuales de profesores y alumnos de la lengua española, y en este sentido, el aspecto del léxico nos sigue pareciendo de primordial importancia. Este fue uno de los principales fines de este libro, y estamos convencidos de que sigue plenamente vigente.

Siempre hemos procurado que los ejercicios resultasen amenos a través de un vocabulario que, en lo posible, mostrase todos los registros del uso del idioma: literario, periodístico, narrativo, coloquial, familiar, etc. Nos llena de satisfacción el haber recibido autorizados testimonios de que el lenguaje de esta obra es una muestra viva del español de nuestra época.

Otro de los aciertos reconocidos a Curso intensivo de español ha sido la utilidad de su índice pormenorizado, merced al cual el profesor, así como el alumno, puede con gran economía de tiempo dirigir su atención a aquellos problemas específicos que le interesen en cada momento. Pues bien, en esta edición el índice da todavía un paso más en esa línea de eficacia y practicidad; se ha ampliado, detallado y perfeccionado, de manera que constituye todo un programa de nuestra visión metodológica.

Para expresar nuestra labor en esta undécima edición diríamos en unas cuantas palabras que no se trata de una mera revisión, sino de una refundición en toda regla.

Y una vez más nuestra gratitud a alumnos y profesores que han encontrado en este libro un amigo útil y ameno. Para nosotros ésta es la mayor recompensa.

LOS AUTORES.

Madrid, julio de 1981.

6

# NOTA A LA CUARTA EDICION

Agradecemos en primer lugar, tanto a colegas como a estudiantes, la favorable acogida que han dispensado a Curso intensivo de español desde el momento de su publicación.

Respecto a sus tres ediciones anteriores, ésta de ahora supone una transformación radical en los siguientes aspectos:

a) Se ha aumentado el número de ejercicios de 212 a 292.

b) Se han incorporado nuevos aspectos gramaticales no tratados en las ediciones anteriores; entre los cuales merecen mención especial los siguientes: verbos de cambio o «devenir»; un tratamiento más específico y completo de los problemas planteados por el subjuntivo; pronombres personales, posición de adjetivos calificativos, pronombres relativos, voz pasiva, etc.

c) En cuanto al léxico, se ha efectuado una revisión total de los ejercicios existentes, creando muchos nuevos que consideramos de interés. A título de ejemplo, mencionemos la explicación de acciones concretas de la vida diaria, anglicismos más difundidos en nuestra lengua, etc.

d) La distribución de los dos ciclos ha sufrido igualmente alteraciones profundas en lo que se refiere a la ordenación de las unidades didácticas. Hemos reducido el ciclo segundo condensando en él los problemas gramaticales de persistente dificultad para el estudiante extranjero.

Confiamos en que esta cuarta edición de Curso intensivo contribuya a una mayor comprensión, en su aspecto práctico, de los problemas didácticos característicos de la enseñanza del español a extranjeros.

LOS AUTORES.

Madrid, octubre de 1971.

# INTRODUCCION

Este libro ha sido escrito para servir de uso en las clases prácticas de lengua española en los llamados «cursos intensivos».

Estos cursos, que últimamente han proliferado en todas las épocas del año y a lo largo y a lo ancho de nuestra geografía, suelen tener una duración que varía de uno a tres meses, según el número de horas diarias dedicado al estudio del español.

Los cursos intensivos persiguen el iniciar al alumno de manera rápida y eficaz en el idioma español, o bien hacerle progresar, sobre la base de unos conocimientos ya adquiridos en su país, hasta un estado de expresión hablada y escrita a nivel adelantado.

De este último grupo se ocupa precisamente el presente libro, que pretende ser instrumento útil en un terreno en el que todavía escasean los libros de ejercicios prácticos con un enfoque moderno de la lengua viva y coloquial.

Los ejercicios que aquí aportamos creemos que recorren la serie completa de los problemas tradicionales que la lengua española presenta al alumno extranjero y, teniendo en cuenta que este libro va dirigido al nivel intermedio y superior, estos problemas son en su mayoría de tipo sintáctico. Mas tampoco se han olvidado los morfológicos que ofrecen persistente dificultad.

Otra característica de esta obra es el énfasis que se da al aspecto léxico en su modalidad más viva y coloquial, pues creemos que ésta es una necesidad propia del estudiante que viene a enfrentarse plena y activamente con la realidad lingüística, social y cultural española.

Un elemento esencial del libro es su índice. En él se ve que la materia está dividida en lecciones o unidades didácticas que constan cada una de dos partes: la parte gramatical, que abarca los problemas sintácticos y morfológicos; y la parte puramente léxica. Lo cual no quiere decir que no haya una relación estrecha entre ambas, puesto que el

9

vocabulario de la parte gramatical también está concebido como enriquecimiento del caudal léxico del alumno.

Se notará que en el índice aparecen 60 unidades didácticas, divididas en dos ciclos que se diferencian por el grado de dificultad de los ejercicios. Es decir, a partir de la unidad 36 se comienza a repetir los problemas gramaticales, pero con mayor complejidad. Tenemos así dos niveles dentro de la misma obra, de manera que el profesor pueda pasar de uno a otro o irse directamente a cualquiera de ellos, según el tiempo de que disponga y el nivel de sus alumnos.

Se observará que los ejercicios comienzan tratando el sistema verbal y que el artículo, por ejemplo, no aparece hasta la unidad 32-33. Hemos creído conveniente, con estos alumnos ya iniciados, el tratar los problemas por orden de importancia basada en el uso y complejidad de las estructuras.

Finalmente damos las gracias a los colegas que nos han dado sugerencias e ideas procedentes de muchos años de dedicación a la enseñanza de la lengua española a extranjeros, y por nuestra parte quisiéramos satisfacerles con aportaciones que consideramos novedosas en la confección de ejercicios, tales como: correlaciones verbales, régimen de construcción de verbos, frases o perífrasis verbales, lenguaje periodístico, etc.

Quedamos en agradecida espera de puntualizaciones y correcciones que, naturalmente, siempre son necesarias en una obra de esta clase.

LOS AUTORES.

Madrid, junio de 1967.

# INDICE POR UNIDADES DIDACTICAS

## PRIMER CICLO

13

16

17

# SEGUNDO CICLO

20

21

# PRIMER CICLO

PRIMER CICLO

## 1. Póngase una forma correcta del verbo SER o ESTAR en las siguientes frases

1. Mi compañero de oficina ~~es~~. francés de nacionalidad; pero nunca ~~esta~~ en Francia.
2. ¿Qué hora ~~es~~..? ~~Son~~ las tres y media.
3. En esta época del año a las seis de la tarde ya ...... de noche.
4. ¿Qué día ...... mañana? Mañana ...... miércoles.
5. Muchos de mis amigos ...... estudiantes de esta Facultad.
6. ...... muy contento porque me ha tocado la lotería.
7. ...... una pena que no haya venido a visitarnos.
8. Estas flores ...... para ti.
9. No, no vivo en Madrid, ...... de paso.
10. Las paredes de este edificio ...... de ladrillo.
11. ...... demasiado temprano para empezar la juerga.
12. Sus dos hermanos ...... frailes.
13. ¿Me ...... usted escuchando?
14. (Yo) ...... a su entera disposición.
15. (Nosotros) ...... recogidos por un pesquero portugués después del naufragio.
16. La verdad ...... que no hacemos nada porque ...... de vacaciones.
17. (Yo) ...... de ese individuo hasta las narices.
18. ¿Quién ......? ...... el cobrador de la luz.
19. Las enfermedades infecciosas ...... corrientes en la Edad Media.
20. ...... molesto porque no se ha dignado a dirigirme la palabra.
21. La fiesta ...... en los salones del ayuntamiento.
22. ...... muy bien eso que dices.
23. ¿Qué ...... (Vd.) haciendo? Nada de particular.
24. ...... un lindo atardecer de septiembre.
25. ...... a 27 de octubre.
26. Málaga ...... en el sudeste de España y ...... el centro de la Costa del Sol.
27. Debe ...... enfermo; ...... demasiado pálido.

28. ¿De quién ...... esta botella de vino?
29. ...... un error llevarle la contra todo el tiempo.
30. El pobre Fernando cada día ...... peor.
31. ...... quieto y no molestes más; yo no ...... para bromas.
32. No ...... bien que hables mal de tu novia en público.
33. Eso ...... comportarse como un hombre.
34. ...... muy desgraciado estos días; voy de mal en peor.
35. Señor director, el secretario ...... al teléfono.

## 2. Utilice las siguientes expresiones con los verbos SER y ESTAR en frases, mostrando claramente el significado

Estar bien (mal) visto.              Estar enterado (de).
Estar al corriente (de).             Estar al margen (de).
Estar intranquilo.                   Estar ilusionado.
Estar obsesionado (por, con).        Estar a punto de.
Estar en paz.                        Estar agobiado.
Estar desconocido.                   Ser entretenido.

## 3. Colóquese una forma correcta del verbo SER o ESTAR en las siguientes frases. Los adjetivos que van en cursiva pueden admitir uno u otro verbo, según los casos

1. Espera un momento; ya (yo) ...... *listo* para salir.
2. En cuanto bebe dos copas ...... muy *alegre*.
3. Ese individuo ...... muy *vivo;* no se le escapa nada.
4. No se le puede encargar este trabajo; ...... todavía muy *verde*.
5. El marido de tu hermana ...... un *pesado;* no sabe hablar más que de fútbol.
6. Le gusta esa chica, pero dice que ...... un poco *aburrida*.
7. No puedo ayudarte porque ...... muy *cansado*.
8. Mi compañera de cuarto está saliendo con un chico que ...... *negro*.
9. Se ha gastado todo el dinero de la herencia en cuatro días; ...... un *perdido*.
10. ...... *fresco* si te crees que me afecta lo que dices.
11. (El) ...... un chico muy *atento*, ¿verdad?
12. ...... *malo* desde hace cuatro días; tiene que guardar cama.
13. Esta paella me gusta; ...... muy *buena*.
14. Esta chica, más que inteligente ...... *lista*.
15. (Ella) ...... *alegre* por naturaleza.
16. Me temo que Pedro ...... más *muerto* que vivo

17. (El) ...... un viejo *verde*.
18. He comido demasiado hoy; ...... muy *pesado*.
19. Es un tío que ...... siempre *aburrido;* no sabe divertirse.
20. ...... *cansado* esperar el autobús a pie firme.
21. (Yo) ...... *negro* de oír el mismo rollo todos los días.
22. Si no me echas una mano, ...... *perdido*.
23. Será todo lo simpático que quieras, pero ...... un *fresco*.
24. ...... tan *despistado* que no se acuerda ni de su número de teléfono.
25. ¡Qué *despistado* ...... (tú) hoy; éste no es el camino!
26. Hay que ...... muy *atento* a sus palabras; siempre habla con doble sentido.
27. ...... *mala* persona; no lo quiere nadie en el pueblo.
28. Le criticaban por su rudeza, pero demostró ...... *bueno* con la donación que hizo a los pobres.
29. El que no ...... *agradecido*, no es bien nacido.
30. Te ...... muy *agradecido* por el detalle que has tenido.

## 4. Separe por sílabas las siguientes palabras

| | |
|---|---|
| rellano | altruismo |
| eslabón | deshonra |
| inspección | vehículo |
| transistor | articulación |
| exuberante | torbellino |

## 5. ¿Cuál es la moneda de curso legal usada en los siguientes países?

| | |
|---|---|
| España - peseta | Japón - |
| Italia - | Argentina - |
| Francia - | Venezuela - |
| Alemania - | Estados Unidos - |
| Rusia - | Suecia - |
| Inglaterra - | Grecia - |
| Portugal - | Bélgica - |

**6. Colóquese una forma correcta del verbo SER o ESTAR en las siguientes frases. Los adjetivos que van en cursiva pueden admitir uno u otro verbo, según los casos**

1. (yo) ...... *molesto* porque no me has escrito.
2. Tu manera de proceder no ...... *decente.*
3. Hijo mío, ...... muy *orgulloso* de ti.
4. Me gusta viajar con Antonio porque ...... muy *seguro* al volante.
5. A mi juicio, el mayor defecto de María es que ...... demasiado *libre.*
6. El clima del norte de España ...... *húmedo.*
7. Hay que reconocer que la situación ...... muy *violenta.*
8. ...... *quieto;* me pones nervioso.
9. ...... *innecesario* manifestarle a usted mis verdaderos sentimientos.
10. Cada día (yo) ...... más *dudoso* de mi elección.
11. ...... *cierto,* he metido la pata y lo lamento.
12. Esta fruta ...... *riquísima.*
13. Juana ...... *animada;* siempre está riéndose.
14. El salón ...... *lleno* de invitados.
15. Acabo de ver la papeleta de examen y (yo) ...... *suspenso.*
16. Antonio puede ...... muy *molesto* cuando se lo propone.
17. (Tú) ...... poco *decente* para ir a la iglesia.
18. Mi abuela ...... *orgullosísima;* nunca admitía las razones de los demás.
19. ¿...... (tú) *seguro* de lo que dices?
20. Vamos a coger ese taxi que ...... *libre.*
21. Esta camisa hay que secarla más; todavía ...... *húmeda.*
22. Su defecto principal ...... que es muy *violenta.*
23. ...... todo el día *ocioso,* no sabía qué hacer.
24. ...... *dudoso* que quisieran colaborar en el proyecto.
25. Esa familia ...... *riquísima.*
26. ...... un poco *violenta,* porque no la hemos felicitado todavía.

## 7. Rellénense los puntos de las siguientes frases con una forma correcta de los verbos SER o ESTAR

1. Nosotros ...... necesitados de dinero.
2. La vida ...... así; no se puede cambiar.
3. No puedo acompañarte; (yo) ...... pendiente de una llamada telefónica.
4. Ese muchacho no ...... en sus cabales.
5. El rey de Suecia ...... esperado con gran expectación.
6. Ya (yo) ...... harto de oír impertinencias.
7. La carrera ciclista ...... el próximo domingo.
8. ¿...... (tú) en lo que digo?
9. En seguida (yo) ...... con usted; haga el favor de esperar un momento.
10. (El) ...... ausente de Madrid durante dos semanas.
11. El que no ...... conmigo, ...... contra mí.
12. Esta chaqueta le ...... muy mal.
13. España ...... a la cabeza de Europa en la producción de aceite de oliva.
14. ¡Bueno, ya ...... bien de pamplinas!
15. Hace un año, (él) ...... a dos pasos de la muerte.
16. Granada no ha cambiado nada; ...... exactamente igual que el año pasado.
17. El hermano mayor de mi novia ...... hecho un hombretón.

## 8. Díganse los adjetivos que expresan la idea contraria a los siguientes

1. La fruta está *verde*.
2. Esta calle es muy *ancha*.
3. La película fue *divertida*.
4. Esta silla es muy *pesada*.
5. El clima de esta región es *seco*.
6. La ropa está *mojada*.
7. Es un hombre muy *trabajador*.
8. Estas manzanas están *podridas*.
9. Es un niño *salvaje*.

**9. Explique el sentido de los siguientes modismos y expresiones y empléelos en frases**

1. Hacerse el sueco.
2. Ponerse en fila india.
3. Estar negro.
4. Ser un negrero.
5. Ser un cuento chino.
6. Tortilla a la francesa.
7. Despedirse a la francesa.
8. Haber moros en la costa.
9. Patatas a la inglesa.
10. Ensaladilla rusa.
11. Cabeza de turco.
12. Hacer el indio.

# Apuntes de clase

10. **Pónganse los siguientes verbos en primera persona del singular y plural del presente de indicativo**

| | | |
|---|---|---|
| 1. Apretar. | 14. Jugar. | 27. Morder. |
| 2. Adquirir. | 15. Temblar. | 28. Poder. |
| 3. Querer. | 16. Nacer. | 29. Agradecer. |
| 4. Conocer. | 17. Mentir. | 30. Tener. |
| 5. Colgar. | 18. Venir. | 31. Salir. |
| 6. Oír. | 19. Traer. | 32. Huir. |
| 7. Concebir. | 20. Pedir. | 33. Seguir. |
| 8. Reír. | 21. Gemir. | 34. Rendir. |
| 9. Vestir. | 22. Repetir. | 35. Sentir. |
| 10. Herir. | 23. Divertirse. | 36. Caber. |
| 11. Saber. | 24. Decir. | 37. Hacer. |
| 12. Merendar. | 25. Dar. | 38. Ir. |
| 13. Recordar. | 26. Envejecer. | 39. Conducir. |

11. **Sustitúyanse los verbos de estas frases por las formas correspondientes del presente simple de indicativo**

1. Te *veré* mañana.
2. La guerra de la Independencia española *comenzó* en 1808.
3. *Está trabajando* intensamente estos días.
4. *Llegarán* el próximo sábado.
5. Le *estoy diciendo* a usted que antes de hacer nada lo piense dos veces.
6. Shakespeare y Cervantes *murieron* en el mismo año.

**12. Transfórmense las siguientes frases utilizando LLEVAR, HACER o DESDE HACE según convenga en cada caso, haciendo los cambios sintácticos pertinentes**

1. Hace cinco años que está fuera de España.
2. ¿Cuánto hace que está usted en Madrid?
3. Lleva dos días sin probar bocado.
4. Estudia francés desde hace tres años.
5. Llevo una hora esperándote.
6. No le he vuelto a ver desde hace tres meses.

**13. Dígase cómo se llaman los que se dedican a estas actividades**

1. El que vigila las calles de noche.
2. El que hace pan.
3. El que barre las calles
4. El que arregla la instalación del agua.
5. El obrero de la construcción de casas.
6. El que trabaja la tierra.
7. El que arregla la instalación eléctrica.
8. El que dirige la circulación.
9. El que se dedica a la pesca.
10. El que vende pescado.
11. La mujer que lava la ropa.
12. La mujer que se dedica a coser.
13. La mujer que trabaja por horas en el servicio doméstico.
14. El que vende carne.
15. El que vende leche.
16. El que conduce un camión.
17. El que apaga el fuego.
18. El que limpia las chimeneas.
19. El que aplica la anestesia.
20. El que quita los callos de los pies.

# Apuntes de clase

**14. Pónganse los verbos siguientes en la primera persona del singular y del plural del pretérito indefinido**

| | | |
|---|---|---|
| 1. Ir. | 12. Decir. | 23. Venir. |
| 2. Traducir. | 13. Huir. | 24. Salir. |
| 3. Hacer. | 14. Soñar. | 25. Ver. |
| 4. Despertar. | 15. Aprender. | 26. Dormir. |
| 5. Soltar. | 16. Tener. | 27. Volcar. |
| 6. Recoger. | 17. Haber. | 28. Dibujar. |
| 7. Conducir. | 18. Regañar. | 29. Ser. |
| 8. Reducir. | 19. Sentarse. | 30. Probar. |
| 9. Sentir. | 20. Sentirse. | 31. Leer. |
| 10. Referirse. | 21. Destruir. | 32. Construir. |
| 11. Suponer. | 22. Romper. | 33. Vaciar. |

**15. Rellénense los espacios en blanco con una forma del indefinido o el imperfecto**

1. Ayer ...... (pasar yo) un día extraordinario.
2. Por esas fechas (ella) ...... (venir) todos los años.
3. ...... (haber) una vez un rey que tenía dos hijas.
4. A los dieciocho años (nosotros) ...... (creer) que la vida era todo rosas.
5. Cuando ...... (llegar tú) a Madrid ...... (tener tú) veinticinco años.
6. En aquel momento ...... (comprender nosotros) la verdadera razón de su comportamiento.
7. ...... (ser) un día de invierno.
8. ...... (recibir ellos) muchos regalos aquella Navidad.
9. ...... (soler él) cantar todas las mañanas mientras ...... (afeitarse).
10. El lunes pasado (ir nosotros) ...... de viaje.
11. ¿...... (querer vosotros) estudiar cuando ...... (interrumpiros yo)?

12. Cervantes ...... (publicar) la primera parte del Quijote en 1605.
13. Ayer ...... (llover) sin cesar todo el día. ·
14. ¿Por qué no ...... (venir tú) cuando ...... (decírtelo yo)?
15. ...... (cojear él) del pie izquierdo.


**16. Cámbiense las siguientes oraciones al estilo indirecto utilizando el tiempo o tiempos del pasado que sean posibles**

Ejemplo: *María Luisa sabe cuatro idiomas.*
*Dijo que María Luisa sabía cuatro idiomas.*

1. ¿Dónde es la exposición de sellos?
   Preguntó que· ......
2. Es un poco tarde.
   Reconoció que ......
3. Sales todas las noches a jugar al bingo.
   Sabía que ......
4. Fuma demasiado.
   Comentó que ......
5. Hay que hacer las cosas bien.
   Dijo que ......
6. Este reloj funciona con pilas.
   Explicó que ......
7. Hoy me quedo en casa.
   Decidí que ......
8. Tú trabajas en un hipermercado.
   Creyeron que ......
9. El verano va a ser muy seco.
   Oyó que ......


**17. Póngase el siguiente fragmento en el pasado utilizando una forma apropiada del pretérito imperfecto o del indefinido**

Hoy (ayer) hace un buen día. Me levanto contento. El vecino se asoma a la ventana y despide a su hijo que se va a la escuela. Hay bullicio en las calles. La gente va y viene sin cesar. Todo es alegría y actividad. De repente, la sirena de un coche policía rompe la armonía de las cosas.

## 18. Explique claramente la diferencia de significado entre las siguientes palabras

1. Fruta - fruto.
2. Tienda - almacén - comercio.
3. Barco - barca - bote.
4. Diploma - certificado - título.
5. Bolso - bolsa - bolsillo.
6. Lata - bote.
7. Frasco - botella.
8. Solicitud - impreso.
9. Cascada - catarata.
10. Copa - vaso.

# Apuntes de clase

**19. Colóquense los verbos que van entre paréntesis en la persona del indefinido correspondiente**

1. (El) no (dormirse) ...... hasta las seis de la mañana.
2. (Ella) (caerse) ...... en la zanja y se (romper) ...... una pierna.
3. (Nosotros) nunca (saber) ...... la verdad.
4. (Ellos) (traer) ...... las herramientas en un santiamén.
5. ¿(Corregir) ...... Vds. los ejercicios de la última clase?
6. Los romanos (construir) ...... muchos puentes y carreteras.
7. Sí, (yo) (oír) ...... lo que decía, pero no (querer) ...... contestarle.
8. (Yo) los (conducir) ...... al jardín.
9. (El) (morirse) ...... de pena.
10. No me (caber) ...... la menor duda de su idiotez.
11. (Ellos) (ponerse) ...... las botas.
12. (Ella) (tener) ...... que retractarse de sus palabras.
13. (El) (decir) ...... que llegaría tarde.
14. Los soldados (huir) ...... en todas direcciones.
15. (Yo) (traducir) ...... el párrafo en veinte minutos.

**20. Utilice el imperfecto de indicativo o el condicional simple en las siguientes frases**

Ejemplo: *Adelantaron que* se casarían *por lo civil.*
*Adelantaron que* se casaban *por lo civil.*

1. Pensé que le avisarían al momento.
2. Por suerte descubrimos que nuestro vecino se mudaba de casa.
3. Mi cuñada pensaba que Pilar llegaría tarde a la cita.
4. El abogado defensor creía que el juez declaraba al reo culpable.
5. Suponíamos que terminarían el trabajo a tiempo.

mudarse —

REO - ACUSADO

juzgar
juez - judge

**21. Utilice el indefinido o el pluscuamperfecto de indicativo en las siguientes frases (sólo las formas en cursiva)**

Ejemplo: *Le agradecí el detalle porque* fue *muy atento.*
*Le agradecí el detalle porque* había sido *muy atento.*

1. El periodista se enfadó porque le *dieron* una noticia falsa. _había dado_
2. Me contó que la película *había sido* tan chabacana que se marcharon a la mitad. _fue_ _feo_
3. Nos explicaron que el cuadro lo *pintó* un niño de seis años. _había pintado_
4. Se decidieron a comprar el video porque *ganaron* una apuesta en las carreras. _había ganado_
5. Sabemos que no *habían tenido* mucha suerte en sus respectivos matrimonios. _tuvieron_

_apuesta — bet_

**22. Utilícese la forma correcta del indefinido o imperfecto del verbo SER que pida el contexto**

1. Gloria y Laura ...... las que llegaron tarde, no yo.
2. La culpa de todo lo que pasó ...... tuya, no mía.
3. La casa en la que vivía ...... del siglo XVIII.
4. Los primeros pobladores de España, en época histórica, ...... los iberos y los celtas.
5. Estaba seguro de que no tenías razón, y así ......, como demostraron los resultados.
6. Lo bueno de aquella pareja es que siempre ...... los mismos, no cambiaban nunca.
7. ...... a las doce de la noche cuando se presentó en casa.
8. ...... las cinco de la mañana cuando llegamos al aeropuerto de Orly.
9. Se asustaron porque ...... muy miedosos.
10. Había cambiado tanto que yo ni siquiera sabía si ...... él.

**23. De las palabras que van entre paréntesis táchense las formas que se consideren incorrectas**

(era, estaba) una tarde gris de noviembre. A lo lejos (se vio, se veía) la silueta de un barco que (desapareció, desaparecía) (por, para) el horizonte. El mar (estaba, era) en calma. Un barquito (se acercaba, acercó) lentamente a la playa. De repente (se oía, se oyó) un trueno y en seguida (comenzaban, comenzaron) a caer gruesas gotas. Juan, que no (llevó, llevaba) paraguas, se (metió, metía) en el portal de una

_LA TORMENTA — Storm_
_un trueno — Thunder_
_Relámpago — Lightning_
_gruesa — gross_

41

casa (por, para) no mojarse. La casa pertenecía a un hombre que (estaba, estuvo) en América muchos años y ahora (era, fue) el alcalde del pueblo. La gente le (respetaba, respetó) (por, para) su honradez ~hore y generosidad. / AVARO~

TACAÑO 

## 24. Explique claramente la diferencia entre las siguientes palabras

1. El bando - la banda.
2. El fondo - la fonda.
3. El lomo - la loma.
4. El mango - la manga.
5. El modo - la moda.
6. El punto - la punta.
7. El resto - la resta.
8. El río - la ría.
9. El suelo - la suela.
10. El bulo - la bula.

# Apuntes de clase

**25. Pónganse los verbos en cursiva en la forma adecuada del futuro indicativo, simple o compuesto, según convenga**

1. (Nosotros) *ir*...... a despedirles al aeropuerto.
2. Supongo que (él) *estar*...... en casa, pero no estoy seguro.
3. Creo que (ellos) nos *dar*...... una paga extraordinaria para Navidad.
4. Para cuando lleguen las vacaciones ya (nosotros) *terminar*...... el trabajo.
5. ¿Qué hora *ser*......?
6. ¿*Ser*...... posible que nos hayamos gastado todo el dinero ya?
7. (El) *venir*......, no lo dudo, pero no le he visto.
8. Los solicitantes *pedir*...... los formularios en la ventanilla número 15.
9. Al llegar a tu destino, (tú) *hablar*...... lo antes posible con el patrón.
10. Para entonces, la autopista de la Costa Brava ya *estar*...... terminada.
11. Ya (nosotros) *ver*...... lo que pasa cuando se descubra el secreto.
12. Si Dios no lo remedia, esto *acabar*...... muy mal.
13. (Ellos) *marcharse*...... de vacaciones porque la casa parece cerrada.
14. (El) *tener*...... unos cincuenta años, pero no los aparenta.
15. No *haber*...... más remedio que aguantar la fiestecita.

## 26. Contéstese a las siguientes preguntas, utilizando las formas de futuro o condicional simples de probabilidad

(Frase modelo: *¿Qué edad tiene? Tendrá treinta años*)

1.  ¿Cuántas horas estudiabas al día?
2.  ¿Dónde vive Juan ahora?
3.  ¿Quién lo hizo?
4.  ¿Cuánto cuesta alquilar un piso en Madrid?
5.  ¿Por qué llegó tarde Enrique a la reunión? Porque ......
6.  ¿Dónde conoció a su novia?
7.  ¿A qué se dedicaba en aquel entonces?
8.  ¿Qué piensa hacer ahora?
9.  ¿Con quién colabora en ese proyecto?
10. ¿Por qué discutía tan a menudo con su secretaria? Porque ......

## 27. En las frases donde sea posible, sustituya la forma verbal en cursiva por un futuro, sin cambiar el significado

1.  Seguramente *tiene* catorce años.
2.  Dentro de dos días *nos vamos* al campo.
3.  *¿Es* verdad lo que me dices?
4.  Hoy *hace* un día espléndido.
5.  En los países nórdicos *anochece* muy temprano.
6.  *Amanece* cansado todos los días.
7.  *¿Va* usted muy lejos?
8.  Creo que *llega* de madrugada.
9.  Del cruce *salen* tres carreteras.
10. Supongo que *sabe* usted ya el resultado de las elecciones.
11. Me temo que no *esté* de acuerdo.
12. Villarrobledo *es* un pueblo *más bien* pequeño.
13. *Prefiero* vivir en el ático.
14. Está seguro de que *terminan* la obra antes de junio.
15. Juan *es* masón; me lo han dicho en diversas ocasiones.
16. Probablemente le *den* el premio.
17. Te prometo que *voy* a tu boda.
18. *Tiene* usted que cumplir su compromiso.

## 28. Dígase cómo se llaman los habitantes de los siguientes países, ciudades y regiones

1. Madrid.
2. Roma.
3. Japón.
4. Galicia.
5. Génova.
6. Méjico.
7. Australia.
8. Marruecos.
9. Nápoles.
10. Milán.
11. Yugoslavia.
12. Uruguay.
13. Panamá.
14. China.
15. Suecia.
16. París.
17. Londres.
18. Polonia.
19. Andalucía.
20. Nueva York.
21. Buenos Aires.
22. India.
23. Israel.
24. Atenas.
25. Berlín.

*Este libro trata de la mafia*
*= habla de*
*sobre*

*ESTAR ARREGLADAS SI...*
*HACER CASO A ALGUIEN*
*OBEDECER A ALGUIEN*
*ARREGLAR — REPARAR*
*TRATAR DE — INTENTAR (TO TRY)*

*Trato de aprender*
*Intento aprender*

**29.** Póngase la forma correcta del condicional, simple o compuesto, en las siguientes frases

1. Prometió que nos *pagar* en cuanto cobrase. *PAGARÍA* ✓
2. (Nosotros) *estar* arreglados si te hiciéramos caso. *estaríamos* ✓
3. ¿Qué (tú) *hacer* sin mí? *harías* ✓
4. Se *casar* si hubiera encontrado una mujer que le conviniera. *habría CASARÍA*
5. Anunció que *tratar* de conseguir una respuesta para el lunes. *trataría* ✓
6. Me *fastidiar* que llegarais tarde. *FASTIDIARÍA* ✓
7. *Pasar* dos horas cuando sonó la sirena de alarma. *PASARÍA* / *HABRÍAN PASAD*
8. En la reunión *haber* unas 25 personas. *HABRÍA*
9. ¿No *ser* mucho pedir que me llevara en su coche a casa? *SERÍA*
10. ¿Por qué *discutir* tanto de aquel asunto? *discutiría* *habría*
11. *Ser* las cuatro de la mañana cuando empezó la tormenta. *SERÍA habría sido*
12. El Ayuntamiento *poner* más luces en esta calle si los niños no las rompieran. *pondría*
13. (Yo) *quedarte* muy agradecido por la información, si no te es molestia. *te quedaría*
14. (Yo) *tener* que estudiar la situación antes de ponerme a trabajar. *tendría*

**30.** Pónganse los verbos en cursiva en forma continua en los casos en que sea posible, sin cambiar el sentido

1. Por aquella época (él) *escribía* sus memorias.
2. (Ella) *estudia* para sociólogo desde hace dos años.
3. El domingo a estas horas (nosotros) *paseábamos* por la Alhambra.
4. No sé si (nosotros) *habremos acabado* el proyecto para el 31, pero de todas formas te lo comunicaremos.
5. Supongo que (ellos) *se habrán divertido* de lo lindo aunque a mí no me dijeron nada.
6. (Ellos) *gastan* el dinero en lujos esta temporada.

7. El padre lo *mantenía* mientras estudiaba en la Universidad.
8. ¿Qué comes, José Angel? *Como* pan.
9. Mi suegro es abogado, pero *trabaja* en un taller mecánico.
10. Le *digo* a usted que ya no vive aquí.
11. Raramente *vemos* televisión.
12. ¿Juan, me *oyes?* Sí, te oigo perfectamente.
13. Elena se *casa* dentro de un par de semanas.
14. ¿Qué le sucede a la niña? *Llora* mucho.
15. En este momento al presidente del congreso *da* la bienvenida a su colega italiano.
16. ¿Qué *hacen* (ellos) que llevo un rato largo sin oírlos? (Ellos) *dormir.*
17. Cuando recibas el telegrama (nosotros) *habremos llegado* a Barcelona.
18. *Nevó* toda la mañana y luego salió el sol.


### 31. Pónganse los verbos en cursiva en forma continua y en un tiempo adecuado

1. Durante aquel año (él) *vivir* con su tía.
2. Desde hace dos meses (ella) *trabajar* de secretaria.
3. Mañana por la mañana nosotros *volar* sobre el Atlántico.
4. (Nosotros) *intentar* durante una hora comunicarnos con él por teléfono, pero no pudimos.
5. Creo que estos días (él) *gestionar* su pasaporte.
6. ¿Qué *pensar* (tú) que no dices nada?
7. Para cuando sean las tres, (nosotros) ya *almorzar.*
8. Como *llover* toda la tarde, no quisimos salir.
9. Es una presumida; *mirarse* al espejo todo el día.
10. El *recibir* muchas felicitaciones por lo de su tesis doctoral.


### 32. Explique el sentido de las siguientes expresiones

1. Ese sitio que me dices no me cae a mano.
2. No tiene pelos en la lengua.
3. Es un perro viejo; se las sabe todas.
4. Su hermano tiene muy mala pata.
5. Explicó el suceso en un abrir y cerrar de ojos.
6. La gestión salió a pedir de boca.

FASTIDIARÍA — ⇸ molestar
↑
más fuerte que

---

SUBJ.

Digo que <u>hace</u> mucho viento

Digo que <u>escuches</u>
         SUBJ.

= ORDENO.

PREFERIRÍA que no <u>FUERA</u>
<u>Ind. Cond.</u>           Sub. imp.

Dijo que vendría | mañana ⟷ Vendré mañana.
     only time
     Futuro del
     PASADO

---

Siento que me está viniendo fiebre
(NOTO QUE)

SIENTO QUE TE ESTÉ VINIENDO FIEBRE
(LAMENTO
(ME ENTRISTECE)

     Pienso que <u>es</u> demasiado fácil.
     Pienso que <u>vengas</u> a mi casa
         subj.

50

**33. Pónganse los siguientes verbos en la tercera persona del singular del presente e imperfecto de subjuntivo**

| | | |
|---|---|---|
| 1. Ir. | 12. Sentirse. | 23. Venir. |
| 2. Traducir. | 13. Decir. | 24. Salir. |
| 3. Hacer. | 14. Huir. | 25. Ver. |
| 4. Valer. | 15. Soñar. | 26. Dormir. |
| 5. Soltar. | 16. Aprender. | 27. Volver. |
| 6. Recoger. | 17. Tener. | 28. Dibujar. |
| 7. Conducir. | 18. Haber. | 29. Ser. |
| 8. Reducir. | 19. Regañar. | 30. Probar. |
| 9. Sentir. | 20. Sentarse. | 31. Leer. |
| 10. Referirse. | 21. Destruir. | 32. Construir. |
| 11. Aducir. | 22. Romper. | 33. Vaciar. |

**34. Pónganse los verbos que van en cursiva en un tiempo correcto del subjuntivo**

1. (Yo) *querer* que todos *estar* contentos.
2. Todos teníamos un poco de miedo de que la situación *cambiar*.
3. Le dijo que *buscarse* un sustituto.
4. No me permitieron que *fumar* en la sala.
5. Le rogué que *subirme* el sueldo; ni me escuchó siquiera.
6. Preferiría que (ella) no *ser* tan habladora.
7. Sentí mucho que (ustedes) no *estar* en ese momento.
8. Había pensado que os *venir* a casa a tomar una copa.
9. Fue una lástima que se *apagar* la luz en el momento más interesante.
10. No era natural que *haber* hombres solos.
11. Era esencial que todos *estar* presentes.
12. Fue necesario que *intervenir* la policía.

13. Ya era hora de que (vosotros) *aparecer*.
14. El cura se negaba a que (ellos) *usar* el atrio de la iglesia.
15. Era condición indispensable que el ganador *tener* un 65 por 100 de los votos.

### ✗ 35. Colóquense los verbos en cursiva en la forma correcta del presente de indicativo o de subjuntivo, según convenga

1. He observado que (Vd.) *estar* un poco pálido estos días. ¿Qué *pasarle?*
2. No creo que (él) *tener* la osadía de presentarse aquí.
3. Noto que su pulso *ser* normal. (Vd.) no *tener* que preocuparse.
4. Temo que no *resultar* tan bien como (Vd.) *decir*.
5. Creo que (yo) *ganar* lo suficiente para permitirme estos lujos.
6. Dice que todos sus compañeros *estar* locos, y no se da cuenta de que el loco *ser* él.
7. Haz el favor de decirle que *dejarme* en paz.
8. Veo que (Vd.) *ir progresando* poco a poco; eso *satisfacerme*.
9. Admito que (él) *tener* razón, pero (yo) no *consentirle* que (él) *ser* maleducado.
10. Espero que todo *solucionarse* a satisfacción general.
11. Sentimos mucho que (Vd.) *haberse* perdido el primer acto.
12. Siento que *estarme* poniendo enfermo.
13. Hace como que *estimarme* mucho cuando necesita dinero.
14. Me duele un poco que (tú) *tratarme* así.
15. No merece la pena que nos *preocupar* por tan poca cosa.

### 36. Lea e identifique los extranjerismos de la columna de la izquierda con una palabra española de la columna de la derecha

| | |
|---|---|
| Shorts | Descapotable |
| Flirt | Payaso |
| Hobby | Retrete |
| Stock | Aventura amorosa |
| Chance | Oportunidad |
| Water | Pantalones cortos |
| Clown | Pasatiempo |
| Convertible | Existencias |
| Sprint | Explosión |
| Boom | Esfuerzo final |
| Interview | Entrevista |

**Apuntes de clase**

2 VERBOS.

No tiene que PREOCUPARSE
No debe PREOCUPARSE

↑
PERÍFRASIS
DE OBLIGACIÓN.
↓

tengo estudiado
estoy estudiando
-er.

DAR SE CUENTA

Me doy cuenta de que está loco
No me doy cuenta de que está loco.

_[Handwritten notes at top:]_
Siempre que — de tiempo + ind. / Siempre que voy a algo, paso por la plaza
condicional (= si.) + SUBJ. Siempre que me ayudes, te ayudaré.

**37.** **Póngase el verbo en cursiva en la forma adecuada de indicativo o de subjuntivo que convenga al contexto**

1. Les animamos a que _continuar_ ...... trabajando de idéntica manera. _[continúen / continuaran]_
2. Les animamos porque ellos _merecérselo_ ...... _[se lo merecen]_
3. Nos recordaron repetidamente que no _olvidar_ ...... las llaves en casa. _[olvidáramos]_
4. Recordaron que Luis _trabajar_ ...... en una empresa de su suegro. _[trabajaba]_
5. Me advirtió que en aquel país la gente no _tomar_ ...... bebidas alcohólicas. _[tomaba]_
6. Me advirtió que yo _ahorrar_ ...... el máximo posible para realizar mis proyectos. _[ahorrara]_
7. Comprendo que ellas no _rebajarse_ ...... a pedir dinero prestado. _[se rebajen]_
8. Comprendemos lo que Vd. _querer_ ...... decir sin necesidad de más aclaraciones. _[quiere]_
9. ¡Juan, vigila que no _escaparse_ ...... el perro! _[se escape]_
10. Juan vigila porque nosotros _pagarle_ ...... para eso. _[le pagamos]_
11. El coronel recalcó que los soldados _comer_ ...... bien. _[comían / comieron]_
12. El coronel recalcó que, en lo sucesivo, _dar_ ...... de comer mejor a los soldados. _[dieran]_
13. ¡Por favor, asegúrese Vd. de que todo el mundo _cumplir_ ...... la misión encomendada! _[cumpla]_
14. Me aseguré de que ella _tener_ ...... su pasaporte en regla. _[tenía]_

**38.** **Complétense las siguientes frases poniendo el verbo en cursiva en el tiempo adecuado**

1. Siempre que (Vd.) _comportarse_ bien, no me importa lo que haga.
2. Quiero que (Vd.) _venir_ a la fiesta, pero no puedo obligarle.
3. Le digo que (Vd.) _marcharse_.
4. Mientras _haber_ salud la cosa va bien; lo malo es cuando _empezar_ los achaques.

54

_[Handwritten:] condicional_

5. ¡*Venir* usted en seguida! Le llaman por teléfono.
6. Me las arreglaré como *poder,* no *preocuparse* (usted).
7. Por fin he sacado las entradas para que (tú) *poder* ver el circo.
8. No me explico cómo puedes leer tanto sin que *cansársete* la vista.
9. . Antes de que ellos *llegar,* avíseme.
10. Me basta con que (tú) *escribirme* una vez al mes.
11. Debes ir a que *verte* el médico en seguida.
12. Con tal de que *portarte* bien puedes salir por las noches.
13. En cuanto (usted) *terminar, cerrar* la puerta y *marcharse.*
14. Hasta que (tú) no *decirme* la verdad no te dirigiré la palabra.
15. Por fortuna me fijé a tiempo en que el disco *estar* rojo.
16. ¿Quieres que (yo) *llevarte* a la ópera?
17. Quizá él *creerse* que le engaño, pero es contraproducente insistir.

### 39. Ponga los verbos entre paréntesis en el tiempo correcto de subjuntivo

1. ¡Ojalá (dejar) deje de llover!
2. ¡Así te (salir) salga un juanete en un pie! ¡Malaje!
3. Le han tocado cinco millones. ¡Quién los (pillar) pillara! ← catch
4. ¡Maldita (ser) sea! ¡Qué mala suerte tengo!
5. ¡Buenas noches! ¡Que (vosotros descansar) ......! descanséis
6. ¡Buenos días! ¡Que (aprovechar) ......! aproveche
7. ¡Que lo (vosotros pasar) paséis bien en el viaje!
8. ¡Cuidadito! ¡Que no me (enterar) entere yo de que has hecho una faena!
9. ¡Será posible que no (Vd. decidirse) se decida ...... a comprarlo!
10. ¡(Vd. hacer) haga el favor de dejarme en paz!

### 40. Rellénense los puntos con la palabra adecuada

1. Le regalé una ...... de caramelos.
2. Se comió una ...... de bombones él solito.
3. El novio le envió un...... de flores.
4. ¡Camarero, déme un ...... de vino!
5. Se compró un ...... de zapatos.
6. ¿Nos tomamos una ...... de calamares?
7. Se fuma un ...... de tabaco rubio al día.
8. El ordenador necesita nuevas ......
9. Tiré los restos de la comida al ...... de la basura.
10. Si quieres ahorrar, compra una ...... para el autobús.

**41. Obsérvense las siguientes comparaciones exagerativas ( clichés lingüísticos ) y utilícense en frases**

1. Comer como una lima.
2. Beber como una cuba.
3. Fumar como un carretero.
4. Hablar como un loro.
5. Aburrirse como una ostra.
6. Conducir como un loco.
7. Dormir como un leño.
8. Cantar como un jilguero.
9. Ponerse como una amapola.
10. Llorar como un niño.
11. Vender algo como churros.
12. Llevarse como el perro y el gato.
13. Bailar como una peonza.
14. Nadar como un pez.
15. Correr como un galgo.

38.

1./ se comparte.

2/. venga

3/. se marche

4/. hay ; empiezan

5/. venga

6/. Puedo ; no se preocupe

7/. ~~pudieras~~ puedas

8/. se te cansa

9/. lleguen

10/.

### 42. Ponga el verbo entre paréntesis en el tiempo correcto de subjuntivo o de indicativo

1. Cuando (yo estar) ...... en Asturias, iba a pescar todos los días.
2. Le dije que cuando (yo llegar) ......, nos veríamos.
3. Cuando (yo estar) ...... trabajando, no me gusta que me molesten.
4. Estoy seguro que cuando (yo subir) ...... al avión por primera vez, tendré miedo.
5. Siempre que (llegar) ...... la primavera, siento alergia a las acacias.
6. Aceptamos su decisión, siempre que (ser) ...... consecuente con sus principios.
7. Aunque no (él ser) ...... muy inteligente, es un gran trabajador.
8. No lo aceptaría aunque me lo (él pedir) ...... de rodillas.
9. No supo el cambio que había experimentado su ciudad natal hasta que (él regresar) ...... a su patria.
10. El objetor de conciencia dijo que (él ocultarse) ...... hasta que terminara la guerra.
11. No le hizo el más mínimo caso y eso que (ella ser) ...... su cuñada.
12. Habíamos quedado en comer juntos, de ahí que (él llevar) ...... prisa.
13. No tiene derecho a abusar de la gente, por muy ministro que (él ser) ......
14. Le dije que por mal que (cuidar) ...... el césped, se mantendría.
15. No consiguieron localizarlas, por mucho que (intentarlo) ......

### 43. Ponga el verbo entre paréntesis en el tiempo correcto de subjuntivo o de indicativo, según exija el contexto

1. En cuanto (él salir) ...... a la plaza, le cogió el toro.
2. Decía que en cuanto (terminar) ...... las clases, se iría a hacer un viaje por Asia.

3. A pesar de que (yo ir) ...... muy abrigado, siento frío.
4. A pesar de lo que (tú decir) ......, esa mujer ha sufrido mucho.
5. Mientras (Vd. cuidarse) ......, no tendrá ningún problema.
6. Mientras (él pasear) ...... por el parque, iba echando migas a los pájaros.
7. En cuanto (él tirarse) ...... a la piscina, se dio cuenta de lo fría que estaba el agua.
8. En cuanto (yo llegar) ...... a Galicia, voy a hincharme de marisco.
9. Como no (ellos conocer) ...... bien el camino, se perdieron.
10. Le dije que como no (él ser) ...... puntual, le dejaría plantado.
11. A medida que el público (entrar) ...... en el cine, entregaba las entradas al portero.

## 44. Ponga el verbo entre paréntesis en el tiempo correcto de subjuntivo o de indicativo, según exija el contexto

1. Antes de que (arrancar) ...... el coche, quité el freno de mano.
2. Estaba enfermo; por eso no (yo acudir) ...... a la cita.
3. Por si no lo (tú saber) ......, te diré que han subido el precio de la gasolina.
4. No me atreví a llamarle «doctor», por si acaso no lo (él ser) ......
5. Le invité al bautizo a sabiendas de que él no (ir) ...... a aceptar.
6. Ya que (nosotros estar) ...... aquí, vamos a ponernos cómodos.
7. Me miró como si no me (ella conocer) ...... de nada.
8. Ya está pagado; de modo que no (Vd. tener) ...... que preocuparse más.
9. Le planteé la situación de manera que no (él tener) ...... otro remedio que aceptar.
10. Tal como (ir) ...... las cosas, de aquí a unos años no hay quien viva en Madrid.

## 45. Póngase el verbo entre paréntesis en el tiempo correcto de subjuntivo o indicativo, según exija el contexto de las frases

1. Si (él terminar) Λ... _terminara_ la tesis, tendría un puesto en este departamento.
2. Si (él comprar) _compró_ el magnetófono, fue porque era una ganga.
3. Si (yo fumar) _fumo_ puros, es porque creo que hacen menos daño que los cigarrillos.
4. Si (ella ir) _hubiera ido_ a las rebajas, habría ahorrado bastante dinero.
5. ¡Laurita! Si (tú comer) _comes_ todo lo que tienes en el plato, papá te dará un beso.

6. Me dijeron que si (yo querer) .....*quería* conocer las bodegas de Pedro Domecq, fuera a Jerez de la Frontera.
7. Espero que si (tú celebrar) ...*celebras* el cumpleaños, nos invites a la fiesta.
8. Si (ellos aprobar) ...*aprobaron*, fue porque habían estudiado mucho.
9. Parece como si ella *estar* ..... enfadada con nosotros. *estuviera.*
10. Si (usted) *poder* ..... ayudarme, lo haríamos en un abrir y cerrar de ojos.

## 46. Explique el sentido de las siguientes expresiones

1. Me pasé un disco rojo, pero el guardia hizo la vista gorda.
2. Con esa palabra has dado en el clavo.
3. ¡Buena la hemos hecho!
4. La paella te ha salido muy rica hoy.
5. Le di mi palabra de honor.
6. ¡Estaría bueno que no nos pagaran!
7. Su comentario tenía mucha miga.
8. Me importa tres pepinos lo que piense.
9. Se ahoga en un vaso de agua.

Si quieres conocer las bodegas, ~~vaca~~ vete a Jerez ——

NO.

★ Parece que tiene
★ Parece como que + SUBJ.
si
DA LA IMPRESIÓN DE QUE

Parece que ES tarde.
Da la impresión de que ES tarde.
Parece como si fuera tarde
nunca sea

60

1st part - subj:
2nd part - Cond.

**Apuntes de clase**

1st. - imp. ind.
2nd - sub. imp.

HORROR ⟶

Si fumo
Si hubiera fumado
pudiera

Si fume
Si fumaría
Si fumará
Si haya fumado

SÍ

¿Quieres vino? Sí, no
- ¿Dónde vives?

indirecto

Carlos preguntó (que) [Si] quería vino
Carlos   "      "   dónde vivía

"¿Dónde vives?" dijo Luis. | Luis dijo que hacía
                          | sd.
"Hace sol"                | preguntó dónde vivía

61

**47. Diga el verbo entre paréntesis en el tiempo adecuado de subjuntivo**

1. No hay quien le (entender) ......
2. La próxima vez que (yo ir) ...... a Las Canarias, te traeré unos cartones de tabaco rubio.
3. Que yo (saber) ......, la fábrica está en paro.
4. Quien no lo (haber) ...... entendido, que pregunte otra vez.
5. ¿No hay nadie aquí que (poder) ...... echarme una mano?
6. Los que no (estar) ...... de acuerdo, pueden abandonar la sala.
7. En la primera ocasión que (yo tener) ......, me voy al campo.
8. A cualquiera que (llamar) ......, dígale que he salido.
9. Todo lo que (publicarse) ...... en este campo, nos interesa.
10. Me encuentro con él dondequiera que (yo ir) ......
11. Te encontraré dondequiera que (tú ir) ......
12. Todo lo que (él ganar) ...... lo repartiría entre los pobres.
13. Nos sugirió que lo hiciéramos como (nosotros creer) ...... conveniente.
14. Nada de lo que (ellos murmurar) ...... me interesa.
15. Me figuro que buscaban un sitio que (reunir) ...... comodidades.
16. Buscaba un automóvil que (consumir) ...... muy poco gasóleo.
17. Queremos una ciudad que no (estar) ...... contaminada.

**48. Pónganse los verbos entre paréntesis en los tiempos de indicativo o de subjuntivo que correspondan a las siguientes frases**

1. Es muy raro que tu amigo no (contestar) ......
2. Es necesario que (vosotros) (ir) ...... a comprar aquellas cosas.
3. Le habíamos dicho que (escribir) ...... a sus tíos.
4. Teme que (él) (marcharse) ......
5. Ojalá (ella) (venir) ...... contenta.

6. ¡Que (ustedes) (divertirse) ......!
7. Nos gusta que (ser) ...... (ustedes) formales.
8. Me había molestado que ellos no (ayudar) ...... a Enrique.
9. Dudo que (él) (tener) ...... tantos libros como dicen.
10. No conozco a nadie que (ver) ...... esa obra de teatro.
11. Antes de que (él) me (ver) ...... le llamé.
12. Por más que (nosotros) (jugar) ...... a la lotería no nos tocaría nunca.
13. Si (él) (hablar) ...... mucho, (aprender) ...... perfectamente el español.
14. El profesor escribe en la pizarra para que le (comprender) ...... mejor.
15. Basta que (yo) (dejar) ...... el paraguas en casa, para que (llover) ...... a cántaros.
16. Más vale que (ellos) (ser) ...... contestatarios que no sinvergüenzas.
17. Así que (llegar) ...... las vacaciones, me voy a mi pueblo.

### 49. Pónganse los infinitivos entre paréntesis en el tiempo correspondiente de indicativo o de subjuntivo, según convenga

1. Si (tú) (hacerme) ...... ese favor, yo te (estar) ...... sumamente agradecido.
2. ¡(Pedir) ...... (tú) lo que te (parecer) ......!
3. Ayer él me (hablar) ...... como si (tener) ...... algo contra mí.
4. Yo te (tener) ...... al corriente de todo lo que (pasar) ...... en lo sucesivo.
5. Cuando (llegar) ...... el cartero, me avisas.
6. Cuando (nosotros) (llegar) ...... a Barcelona, estaban todos los hoteles ocupados.
7. Ya es hora de que yo (hacer) ...... valer mi opinión aquí.
8. Por mucho que (yo) (insistir) ......, ellos no se (quitar) ...... esa idea de la cabeza.
9. Por más que (jugar) ...... (nosotros) a la lotería, no nos tocaba nunca.
10. Transcurrió la jornada sin que (ocurrir) ...... ningún incidente.
11. Criticaron duramente a los que les (haber) ...... ayudado.
12. El que (haber) ...... visto a Pedro que me lo (comunicar) ...... inmediatamente.
13. Repasaron en una semana toda la materia que se (haber) ...... dado a lo largo del trimestre.
14. ¡Ojalá (él) (ser) ...... tan buena persona como usted nos (asegurar) ......!

15. ¡Que (él) (fastidiarse) ......! ; él mismo se lo (haber) ...... buscado.

## 50. Díganse los adjetivos que expresan la idea contraria a los que vienen en cursiva

1. El nivel de la clase es *homogéneo*.
2. Es una chica la mar de *salada*.
3. Los países *septentrionales* son fríos.
4. Me gusta contemplar el sol *naciente*.
5. Tres de sus hijos son *rubios*.
6. Este cortapapeles es *puntiagudo*.
7. Ese señor es *narigudo*.
8. Es un cristal *transparente*.
9. Este es un terreno *impermeable*.
10. El cielo está *nublado*.
11. Esta habitación es muy *clara*.
12. Dio una *larga* conferencia.
13. El camión ya está *cargado*.
14. Tiene una voz *clara*.
15. Está *casado*.

## 51. Nombres de parentesco

1. ¿Cómo se llama el marido de mi hermana?:
2. el hijo de mi hermano?:
3. el padre de mi mujer?:
4. el marido de mi hija?:
5. la hermana de mi madre?:
6. el hijo de mi tío?:
7. la madre de mi padre?:
8. la abuela de mi madre?:
9. la mujer de mi hijo?:
10. el hermano de mi mujer?:
11. el hombre cuya esposa ha muerto?:
12. el segundo marido de mi madre?:
13. el hijo del primer matrimonio de mi mujer?:
14. la segunda esposa de mi padre?:
15. mi padre de bautismo?:
16. mi madre de bautismo?:
17. mi hijo de bautismo?:

**52. Fórmese la segunda persona, del singular y plural, del imperativo de los siguientes verbos (Tratamiento familiar)**

| | | |
|---|---|---|
| 1. Hacer. | 8. Venir. | 15. Decir. |
| 2. Ir. | 9. Traducir. | 16. Salir. |
| 3. Poner. | 10. Jugar. | 17. Volver. |
| 4. Pedir. | 11. Leer. | 18. Oír. |
| 5. Conducir. | 12. Huir. | 19. Corregir. |
| 6. Abrir. | 13. Morirse. | 20. Reírse. |
| 7. Freír. | 14. Romper. | 21. Escribir. |

**53. Pónganse en forma negativa las siguientes formas verbales**

| | | |
|---|---|---|
| 1. Vete. | 8. Sube. | 15. Piénsalo. |
| 2. Quéjate. | 9. Dilo. | 16. Ven. |
| 3. Dormiros. | 10. Escribidlo. | 17. Callaros. |
| 4. Abrirlos. | 11. Léelo. | 18. Esperadles. |
| 5. Comprarlos. | 12. Seguid. | 19. Recibidle. |
| 6. Cerrad. | 13. Cógelo. | 20. Tomaros. |
| 7. Quiere. | 14. Entregadlos. | 21. Iros. |

**54. Pónganse los verbos en cursiva en la correspondiente persona del imperativo**

1. *Sembrar* (tú) tomates en tu huerto.
2. *Ir* todos (nosotros) a la manifestación.
3. *Traer* (Vd.) las herramientas necesarias.
4. *Hacer* (vosotros) lo que os he dicho.

5. *Decir* (ellos) lo que sepan.
6. *Tener* (vosotros) cuidado con ese tipo.
7. *Volver* (tú) lo antes posible.
8. No *huir* (vosotros).
9. *Darme* (Vds.) su nombre.
10. No *mentir* (tú), niño.
11. *Vestirse* (ellos) pronto.
12. *Colgarlo* (tú) ahí.
13. *Oler* (Vds.) este perfume.
14. *Ser* (tú) bueno y tendrás tu recompensa.
15. *Medir* (nosotros) la longitud de la habitación.
16. *Teñir* (Vd.) ese vestido y le quedará bien.

## 55. Dígase cómo se llaman los habitantes de los siguientes países, ciudades y regiones

| | | | |
|---|---|---|---|
| 1. | Bulgaria. | 14. | Tejas. |
| 2. | Iraq. | 15. | Baleares. |
| 3. | Irán. | 16. | Finlandia. |
| 4. | Argentina. | 17. | Flandes. |
| 5. | Canarias. | 18. | Cataluña. |
| 6. | Bélgica. | 19. | Sevilla. |
| 7. | Escocia. | 20. | Rumania. |
| 8. | Castilla. | 21. | Argelia. |
| 9. | Extremadura. | 22. | Sahara. |
| 10. | Málaga. | 23. | Colombia. |
| 11. | Checoslovaquia. | 24. | Venecia. |
| 12. | Túnez. | 25. | Bilbao. |
| 13. | Arabia. | | |

## 56. Cómo se llaman los establecimientos que se dedican a las siguientes actividades?

1. Guardar coches:
2. Vender artículos alimenticios:
3. Reparar coches:
4. Vender perfumes:
5. Vender tejidos:
6. Vender botones, encajes, agujas, hilo y similares:
7. Vender carne:
8. Tramitar documentos (pasaportes, permiso de conducir, etc.):

9. Vender herramientas de trabajo y utensilios domésticos:
10. Reparar zapatos:
11. Vender prendas confeccionadas con pieles:
12. Servir café, bebidas alcohólicas, etc.:
13. Vender pinturas, artículos de limpieza, etc.:
14. Vender pescado:

# Apuntes de clase

**57. Los sustantivos en cursiva pueden expresarse por infinitivos sustantivados que les son sinónimos. Sustitúyanse por ellos cambiando los artículos donde sea necesario**

(Frase modelo: *Mi opinión* = *Mi parecer*)

1. Mi *opinión* es que los periódicos están desorientados.
2. *La comida* supone una gran diversión para mucha gente.
3. Su muerte les causó una gran *pena*.
4. La hora del *alba* es muy fría en Castilla.
5. Esa *canción* me recuerda los días de mi juventud.
6. Juan es un *hombre* despreciable.
7. La columna de *ingresos* reflejaba muchas menos cifras que la del debe.
8. La *obligación* del ejército es defender a la patria y sus instituciones.
9. El *sacrificio* de los propios intereses es necesario en ocasiones.
10. La *bebida*, como todo, es perjudicial en exceso.
11. El *sueño* es imprescindible para reparar fuerzas.
12. La *vida* sin comodidades es inconcebible en el mundo occidental de hoy día.
13. Los aduaneros tardaron mucho tiempo en la *revisión* del equipaje.
14. La *equitación* y la *natación* son dos actividades deportivas importantes.
15. La *lectura* le apasiona.
16. La *caza* y la *pesca* se han convertido para ella en una obsesión.

**58. Pónganse los verbos en cursiva en el participio pasado, regular o irregular, que exija el sentido de la frase**

1. Se quedó muy *confundir*.
2. Está *despertar*.
3. ¿Has *freír* las chuletas de cordero?

4. Ese libro fue *imprimir* en 1948.
5. Han *morir* muchos conejos con la última epidemia en España.
6. Se ha *volver* insoportable.
7. Ya han *poner* la decoración navideña en las calles.
8. Tus problemas están *resolver*.
9. Creo que se ha *romper* dos costillas en el accidente.
10. ¿Te han *atender* bien en esa oficina?
11. ¿Qué has *hacer* con el dinero que te dejé?
12. Os he *ver* en apuros.
13. Han *aprobar* todos, excepto mi hermano.
14. Se le devolverán todos los papeles, *incluir* su solicitud.
15. *Afeitar,* parecería más joven.
16. Llevaba la cabeza *cubrir* con una gorra de plato.

## 59. Pónganse los verbos en cursiva en participio pasado

1. Si hay corriente, es que la puerta está *abrir*.
2. ¿Le gustan a Vd. las patatas *freír*?
3. Ya le he *decir* a su padre todo lo que sé sobre el particular.
4. No ha *haber* posibilidad de convencerle.
5. *Terminar* la reunión, nos fuimos a casa.
6. Y una ver *escribir* la carta, la echamos al correo.
7. Lo curioso del caso es que el presidente *elegir* de la República no ha sido *elegir* por el pueblo.
8. Se lo tengo *decir* muchas veces, pero nunca me hace caso.
9. Aunque parece *dormir,* tiene una mente muy *despertar*.
10. Había árboles *caer* a todo lo largo de la carretera.
11. Era un asunto muy *discutir* en aquellos días.
12. El equipo *derrotar* recibió una pita fenomenal.
13. La letra *imprimir* impresiona mucho más que la manuscrita.
14. Han *aprobar* todos, excepto mi hermano.
15. El cliente *satisfacer* es una inversión para el futuro.
16. Cuando hayas *resolver* el asunto, comunícamelo.

## 60. Fórmense frases con los siguientes vocablos, expresando claramente la diferencia de significado

1. pez - pescado
2. pescador - pescadero
3. cuesta - costa
4. perjuicio - prejuicio
5. sombrero - boina

6. zapatos - zapatillas
7. lomo - espalda - respaldo
8. talón - tacón
9. boca - hocico - pico
10. diente - muela - colmillo
11. abeja - oveja
12. folleto - folletín
13. esquina - rincón
14. jersey - chaleco
15. conductor - cobrador
16. filo - borde

## 61. Díganse los adjetivos contrarios a los que aparecen en cursiva

1. Estas naranjas son *dulces*.
2. Esta es agua *dulce*.
3. Tiene una mentalidad muy *cerrada*.
4. Es una región muy *fértil*.
5. Es un niño *tímido*.
6. Mi abuelo es muy *tacaño*.
7. Sus palabras fueron *sinceras*.
8. Nos chocó lo *orgulloso* de su conducta.
9. La comida está *sabrosa*.

# Apuntes de clase

**62.  Pónganse las palabras que van en cursiva en gerundio**

1.  Estuvo *trabajar* hasta las seis de la mañana.
2.  Mataba el tiempo *hacer* crucigramas.
3.  *Haber* terminado el banquete, llegó la hora de los discursos.
4.  Hoy, *mientras paseaba,* vi a tu padre.
5.  Antonio siempre va *correr* a la escuela.
6.  Aun *saber* la verdad, deberías haberte callado.
7.  Y *haber* pintado los últimos detalles, dio por terminada su obra.
8.  *Enseñar,* no hay posibilidad de hacerse rico.

**63.  Ponga los dos infinitivos entre paréntesis en la forma que exija el contexto y utilice una partícula en los casos que sea necesario**

1.  Haga el favor de no (meterse) (hablar) de lo que desconoce.
2.  Nosotros (ir) (hacer) «footing» cuando nos encontramos con la manifestación.
3.  Yo que él, no (volver) (dirigirle) la palabra.
4.  Ayer los obreros (ponerse) (trabajar) a las seis y media de la mañana.
5.  Pese a que lo intentamos no (llegar) (ver) la película.
6.  Era tan buena persona que (llegar) (repartir) sus ganancias entre los empleados.
7.  Si yo (llegar) (enterarme) antes, no voy.
8.  Le costó mucho esfuerzo, pero finalmente (romper) (hablar).
9.  Mañana se van a (hinchar) (ver) fútbol.
10. En las rebajas, yo (liarme) (comprar) y perdí la sensación del tiempo.
11. (Acabar) (escribirle) cuando llamó a la puerta.
12. Sus razones no (acabar) (satisfacerme).
13. Vosotros (tener) (comprender) que no todo el mundo es igual.

14. Pero, Enrique, ¡siempre (haber) (ser) el mismo!
15. ¡(Haber) (arreglar) la avería sin falta!
16. Ustedes (deber) (apoyar) la democracia y no torpedearla.
17. Ellos (deber) (saberlo), pero no nos han dicho nada.
18. Ultimamente al profesor le (dar) (enseñar) las perífrasis verbales.
19. Yo no (dejar) (reconocer) que sabe una barbaridad.
20. Ella (quedar) (ir) a recibirme al aeropuerto, pero se le olvidó.
21. Mi familia (llevar) (tener) noticias mías dos meses.

### 64. Pónganse los infinitivos entre paréntesis en la forma que exija el contexto

1. ¡(Ir) (pasar) al fondo de la plataforma!, decía el cobrador del autobús.
2. Como es hora punta, será preferible que nosotros (ir) (andar) a nuestro domicilio.
3. Yo (venir) (pensar) desde hace tiempo que estamos manipulados por los medios de comunicación.
4. El congreso (seguir) (deliberar) sobre la ley de divorcio.
5. No nos fiamos ni un pelo de él, siempre (andar) (contar) mentiras.
6. Por aquel entonces (tú) ya (llevar) (estudiar) español cuatro años.
7. No le lleves la contraria porque (tú) (salir) (perder).
8. Su hijo (ir) (aprobar) los exámenes, pero no es una lumbrera.
9. Veo que vosotros (ir) (mejorar) vuestro castellano poco a poco.
10. Nosotros (llevar) (esperarle) más de una hora y sigue sin llegar.
11. El se fue y ella (quedarse) (bailar) con un antiguo admirador.
12. Anoche Rafael (quedarse) (leer) hasta muy tarde.
13. Carece de sentido del humor, siempre (acabar) (enfadarse) con sus amigos.
14. No (ustedes andar) (escribir) en las paredes. No ven que es muy feo.
15. La anciana (venir) (cobrar) la pensión desde la muerte de su marido.

### 65. Pónganse los verbos entre paréntesis en la forma que corresponda al sentido de la frase

1. Su hermana menor (ir) (atrasar) con respecto al resto de la clase.
2. Hasta este momento (ir) (construir) dos bloques de nuestra urbanización.

75

3. (Ir) (transcurrir) más de cinco años de vida democrática en este país.
4. Se empeña en vestirse a su modo y, claro, (ir) (hacer) un asco.
5. Es buena muchacha, pero a cada dos por tres (andar) (meter) en líos.
6. Nuestra lavadora (seguir) (estropear).
7. Le enseñaré a usted lo que yo (llevar) (hacer) hasta ahora.
8. Ellas (llevar) (recorrer) diez kilómetros, cuando se pusieron a descansar.
9. La recuerdo. Solía (llevar) la cara muy (pintar).
10. Ese edificio (llevar) (hacer) un año por lo menos.
11. El médico le (tener) (prohibir) que fume.
12. ¡Señorita, (tener) (escribir) esas cartas para las siete!
13. El tema de la crisis económica internacional (traer) (preocupar) a la opinión pública.
14. Después de correr quince millas, ellas (quedar) (agotar).
15. Sufrió un accidente tan grave que a él (darle) (morir).
16. Nosotros (dar) (sentar) que vendréis a pasar unos días con nosotros.
17. Hasta que no me devuelva todo el dinero, yo no (darme) (satisfacer).

## 66. Exprésese con una sola palabra las siguientes ideas

1. La persona que habla dos idiomas a la perfección es ......
2. El que trabaja con las manos es un ......
3. El que se dedica a los negocios es un ......
4. El que se dedica a la política es un ......
5. La revista que sale todas las semanas es un ......
6. Un grupo de cien unidades es una ......
7. El grupo de diez unidades es una ......
8. Dos escritores nacidos en la misma época son ......
9. Dos hermanos de la misma edad son ......
10. El que está pasando sus vacaciones de verano fuera de su ciudad es un ......
11. El que odia al género humano es un......
12. El que ama la música es un ......
13. El que tiene una manía determinada es un ......
14. El último piso de una casa es un ......
15. El que se dedica a publicar libros es un ......
16. El que carece de escrúpulos es un ......
17. La persona que ha pasado la edad de la adolescencia es un ......

**67.** **Verbos de cambio o «devenir». Ponga los verbos entre paréntesis en la forma correcta**

1. Pablo (hacerse) ...... abogado en cuatro años de estudio intensivo.
2. (Hacerse) ...... tarde. ¡Vámonos!
3. Creo que (él hacerse) ...... protestante últimamente.
4. Procedía de una familia monárquica, pero (él hacerse) ...... republicano.
5. (Ella hacerse) ...... «hippy» el verano pasado.
6. Ha abandonado los estudios y (hacerse) ...... comerciante.
7. (Él ponerse) ...... triste con los tres vasos de vino que se tomó.
8. (Ella ponerse) ...... buena en cuanto tomó la medicina.
9. Siempre (él ponerse) ...... muy pesado con el tema del fútbol.
10. (Ellos ponerse) ...... muy contentos de vernos.
11. (Él ponerse) ...... rojo de ira al oírme hablar así.

**68.** **Verbos de cambio o «devenir». Ponga los verbos entre paréntesis en la forma correcta**

1. (Él volverse) ...... comunista de la noche a la mañana.
2. (Ellos volverse) ...... muy religiosos con aquellos misteriosos cursillos.
3. (Él volverse) ...... loco de la impresión recibida.
4. (Él volverse) ...... un estúpido desde que ha sacado el doctorado.
5. Mordió la cereza el príncipe y (convertirse) ...... en un sapo.
6. En unas cuantas semanas, (él convertirse) ...... en el novelista más leído de Europa.
7. Jesucristo (convertir) ...... el agua en vino.
8. Con tan malas lecturas (ella convertirse) ...... en una intelectual de vía estrecha.

## 69. Verbos de cambio o «devenir». Ponga los verbos entre paréntesis en la forma correcta

1. Su abuelo (llegar a ser) ...... presidente del Gobierno.
2. (Él llegar a ser) ...... un magnate de las finanzas por méritos propios.
3. La renovación del material (llegar a ser) ...... imprescindible.
4. En sus últimos años (él quedarse) ...... ciego y sordo.
5. (Yo quedarse) ...... estupefacto al enterarme de la boda que ha hecho.
6. Con ese régimen de comidas (ella quedarse) ...... como un fideo.
7. Se quitó los zapatos y los calcetines y (quedarse) ...... descalzo.


## 70. Verbos de cambio o «devenir». Utilice el verbo de la columna de la derecha que considere más adecuado en las siguientes frases

1. El negocio le salió mal por ...... con indeseables.     cansarse
2. Como no me gusta el flamenco, ...... mucho.              perderse
3. Le sacó tanta punta al lápiz que ......                  romperse
4. Nos metimos por callejuelas desconocidas y ......        aburrirse
5. Cuando juego al tenis más de dos horas ......            animarse
6. La fiesta ...... mucho con la llegada de los payasos.    marearse
7. No le gusta viajar en barco porque siempre ......        interesarse
8. Es un tipo muy apático; no ...... por nada.              mezclarse
9. (Él) ...... con dos vasos de vino.                       emborracharse
10. Anduvo sin chaqueta toda la tarde y ......              enfriarse


## 71. Escríbase el acento de las palabras en cursiva que lo requieran

1. ¡*Que* nos dejen en paz!
2. ¿*Como* está su familia?
3. Tiene un abrigo de *cuando* la guerra.
4. *Aun* insiste en decir que no ha cumplido los treinta años.
5. *Se* te nota que has dormido poco.
6. ¡Cuidado con *quien* te juntas!
7. *Tu* casa me queda muy lejos.
8. ¡No *de* importancia a sus palabras!
9. ¿A *cuanto* asciende la factura?
10. ¡*Que* porquería de concierto!
11. *Como* está indispuesto, habrá que anular las reservas.
12. ¿Para *cuando* piensas estar lista?

13. *Aun* así, no me resulta fácil decidirme.
14. ¡*Que se* yo!
15. ¿Con *quien* has estado esta tarde?
16. *Tu* reflexiona y ya me darás la respuesta más tarde.
17. Estamos *de* enhorabuena.
18. En *cuanto* te entreguen el título tienes un puesto en esta empresa.

## 72. Explíquese el sentido de las siguientes expresiones

1. ¿Qué te ocurre?, hoy no estás muy católico.
2. Se me fue el santo al cielo.
3. Está de Dios que suceda esto.
4. Vive en el quinto infierno.
5. Salió huyendo como alma que lleva el diablo.
6. Me han colgado ese sambenito y no hay quien me lo quite.
7. El marido de mi hermana es un alma de Dios.
8. He pasado cinco años de mi vida por esos mundos de Dios.
9. ¿A Vd. quién le ha dado vela en este entierro?
10. Lo que dice mi jefe va a misa.
11. Ese amigo tuyo nunca ha sido santo de mi devoción.
12. Las cosas son más difíciles de lo que parecen. No todo es llegar y besar el santo.
13. Iba vestida como Dios manda.
14. Para conseguir el empleo tuvo que remover Roma con Santiago.
15. ¿A santo de qué sales ahora con ésas?
16. A mi juicio, peca un poco de ingenuo.

**Apuntes de clase**

### 73. Transfórmense las siguientes frases activas en pasivas

1. El ingeniero estudió el proyecto.
2. El fuego destruyó una gran cantidad de árboles y matorrales.
3. Esta tarde su padre le ha castigado porque traía malas notas.
4. Los periodistas difundieron la noticia rápidamente.
5. La agencia le proporcionó un billete de avión a precio de coste.
6. La dirección le ha ascendido a jefe de negociado.
7. Las Cortes estudiaron las nuevas propuestas del Gobierno.
8. El terremoto arrasó toda la región.
9. Un multimillonario ha comprado este cuadro.
10. Los mismos supervivientes contaron el naufragio con todo lujo de detalles.
11. Los ministros de Asuntos Exteriores firmaron el pacto.
12. Un desconocido entregó el aviso.
13. Actores de primera categoría han hecho el doblaje de la película.
14. El alcalde concedió el contrato de obras de pavimentación a una firma extranjera.
15. Un autobús atropelló a dos personas ayer por la mañana.

### 74. Transfórmense las siguientes frases pasivas en activas

1. Esta casa ha sido destruida por el fuego.
2. Se dice que van a subir las naranjas otra vez.
3. Se suponía que acudiría a la cita.
4. El fugitivo ha sido capturado por la policía.
5. Se esperaba una gran afluencia de público.
6. Se cuenta que ha hecho un desfalco de más de un millón de pesetas.
7. El niño fue adoptado por unos vecinos.

8. Se agradece lo que haces por nosotros.
9. La ley no había sido aprobada aún por el Parlamento.
10. Las calles fueron regadas a primera hora de la mañana.


**75. De las dos formas que se dan entre paréntesis, utilice la que pide el sentido de la frase. Algunas de estas frases admiten las dos posibilidades**

1. El problema (fue resuelto - se resolvió) en un santiamén.
2. Cuando empezó la película (se apagaron - fueron apagadas) las *luces*.
3. El testamento (fue leído - se leyó) por el notario en presencia de todos los herederos.
4. La avería (fue arreglada - se arregló) demasiado tarde.
5. En verano, las calles en Madrid (son regadas - se riegan) casi todos los días.
6. El presupuesto municipal (fue presentado - se presentó) por el alcalde a los concejales.
7. (Fueron recogidas - se recogieron) muestras de la Luna por los astronautas.
8. En las rebajas de julio (se venden - son vendidos) muchos artículos a precios muy rebajados.
9. Del lago de Maracaibo (se saca - es sacado) mucho petróleo.
10. La primera República española (se instauró - fue instaurada) en 1870.


**76. Explíquese el significado de los siguientes modismos**

1. Nos visita cada dos por tres.
2. Esto es tan cierto como que dos y dos son cuatro.
3. Sigue en sus trece; no hay quien le convenza.
4. Voy a tener que cantarle las cuarenta.
5. Allí no había más que cuatro gatos.
6. A pesar de lo que digas, tu hermano te da ciento y raya.
7. No hay por qué buscarle tres pies al gato.
8. Me importa un rábano.

# Apuntes de clase

**77. Coloque el verbo entre paréntesis en presente y utilice el pronombre personal que exige el contexto**

1. A nosotros (faltar) ...... mil pesetas.
2. A mí (faltar) ...... tiempo para terminar lo que tengo proyectado.
3. Todavía (sobrar) ...... a ella diez duros.
4. Ese tipo de chicas no (ir) ...... a él.
5. A vosotros (encantar) ...... la zarzuela.
6. Los pedantes (caer) ...... mal a él.
7. Sé que a usted (desagradar) ...... estas cuestiones.
8. A mí no (gustar) ...... las gafas de sol.
9. A ellos (quedar) ...... cinco días para iniciar sus vacaciones.
10. Ya sé que a ti (fastidiar) ...... las fiestas de sociedad.
11. Ahora (tocar) ...... a nosotros pagar la siguiente ronda.
12. A ella (faltar) ...... valor para hacerlo.
13. Siempre que come fabada no (sentar) ...... bien.
14. Esa corbata (sentar) ...... fatal a ti.
15. A Carmina (estar) ...... bien ese peinado.
16. ¿(Apetecer) ...... a usted un cointreau?
17. Sabemos que a tu primo no (caer) ...... bien nosotros.
18. Os ha sonreído; estoy seguro de que vosotros (gustar) ......
19. A vosotros (hacer falta) ...... ayuda.

**78. Sustituya la parte en cursiva por otra forma equivalente, según el modelo**

Lo compré *para él* = *se* lo compré

1. Lo comprará *para nosotras*.
2. La hemos comprado *para Vds*.
3. Los habrán comprado *para ella*.
4. Lo habían comprado *para vosotros*.

5. ¿Lo compraste *para ellas?*
6. Lo compran *para ti.*
7. Los habían comprado *para Vd.*
8. Las compraban *para nosotros.*


### 79. Sustitúyanse los complementos en cursiva por los correspondientes pronombres personales, realizando los cambios sintácticos necesarios

1. Saqué *las entradas* sin ninguna dificultad.
2. Entregué *el regalo a mi madre.*
3. Hemos oído *esa canción* y no nos gusta.
4. Cargué *los gastos* en tu cuenta.
5. Tienen que comer *judías con chorizo.*
6. Cuelgue *el abrigo* en la entrada.
7. Tu mujer va a comprar *una gabardina para ti.*
8. Explicó *el problema a los niños.*
9. Escribí *una postal* desde Roma *a mis compañeros.*
10. No te pongas *esas botas,* te están ridículas.
11. Hemos comentado *la reforma de la casa* con el administrador.
12. Hay que hacer *todo lo que sea pertinente.*
13. Consideraré *sus consejos.*
14. Habrá que decir *a los suscriptores* que el próximo número de la revista llega atrasado.     se lo
15. Distribuyó los *folletos propagandísticos entre los alumnos.*

se los distribuyó

### 80. Varíese la posición del pronombre o pronombres personales en las siguientes frases, en los casos en que sea posible

1. No necesito decir*te* lo que tienes que hacer.
2. Dá*mela* en seguida.
3. Quiero comunicár*selo* antes de que se vaya.
4. Estaba comiéndo*sela* con los ojos.
5. Tuvieron que extraer*le* dos muelas.
6. Piénsen*lo* y decidan cuanto antes.
7. Estaba ocultándo*noslo* todo el tiempo y nosotros sin saber*lo.*
8. Tu madre viene a visitar*nos* todos los jueves sin fallar uno.
9. Vámo*nos* antes de que empiece a llover.
10. Está pidiéndo*melo* a voces.

## 81. Explique el significado de las siguientes expresiones con el verbo QUEDAR, dando un equivalente

1. Me parece que has quedado muy mal con el personal.
2. Después de la reparación, el coche ha quedado muy bien.
3. Ha quedado en mandarme la carta por correo certificado.
4. A nadie le gusta quedar en ridículo.
5. ¿Nos bañamos, o no nos bañamos, en qué quedamos?
6. Me ha salido un plan y he quedado con él en la puerta del pub.
7. ¿Quedamos a las siete, o a las ocho?
8. Corre un poco más; te estás quedando atrás.
9. Ten cuidado; me parece que se está quedando contigo.

lo → pueden sustituir a una frase completa.

ej. Carlos siempre tonterías. No me gusta el tipo de opiniones que tiene

Lo que dice, no me gusta.

INDIRECTO                    DIRECTO

Tengo que decir (a Carlos) que estoy enferma
→ Tengo que decirselo
2/ Se lo tengo que decir

Os lo

**Apuntes de clase**

### 82. Colóquese el pronombre personal apropiado en las siguientes frases

1. Por lo que veo, a tus tíos no ...... interesa la política.
2. A ti nunca ...... apetece divertirte.
3. A mí ...... encanta la televisión.
4 A nadie ...... agrada este tipo de situaciones.
5. A su novio ...... aburre el cine.
6. Sólo a unos pocos ...... conviene que suba el coste de la vida.
7. A sus padres no ...... atrae la idea.
8. A Pablo y a mí no ...... convence ese cantante.
9. A todos los hombres ...... gusta ser libres.
10. Según parece, a Vd. ...... preocupa muy poco lo que pueda ocurrirme.

### 83. Usese la forma correcta de los pronombres personales en las siguientes frases

1. A ...... te admira mucho.
2. ¿Se marchó con ...... (tú)?
3. No se preocupe Vd. de él; está con...... (yo).
4. Pase lo que pase me acordaré siempre de ...... (tú).
5. Hablaba con...... (él) mismo.
6. A ...... me lo cuenta todo.
7. Con...... (tú) se sinceró, pero a ...... me mintió.
8. Siempre estaba haciendo comentarios de ...... (tú) y de ...... (yo).
9. La mantilla la he traído para ...... (tú).
10. Detrás de ...... (yo) había muchas sillas vacías.

## 84. Conteste a las siguientes preguntas, afirmativa y negativamente, utilizando los pronombres personales correspondientes

(Frase modelo: *¿Te has traído el coche? Sí, me lo he traído*)

1. ¿Les has enviado el telegrama?
2. ¿Se ha puesto Vd. el impermeable?
3. ¿Habéis sacado las entradas?
4. ¿Has tenido en cuenta nuestra advertencia?
5. ¿Han encontrado Vds. ya el piso que buscaban?
6. ¿Habéis vendido el libro por fin?
7. ¿Se puso Vd. nervioso en la entrevista?
8. Me disteis la dirección, ¿verdad?

## 85. Colóquese la partícula «se» donde sea posible o necesario

1. No voy a esa peluquería porque el peluquero ...... peina muy mal.
2. ...... corta el pelo una vez al mes.
3. En Navidades ...... viene toda la familia a mi casa.
4. Este señor ...... levanta a las siete de la mañana todos los días.
5. El ...... estudió la lección con puntos y comas.
6. ...... marchó de casa hace dos años, y no le hemos vuelto a ver.
7. Al peinar...... siempre ...... mira en el espejo.
8. ...... estuvieron quietos durante toda la conferencia.
9. Cuando esta chica trabaja nunca ...... asoma por la ventana.
10. Antes de convencer ...... a los demás tiene que convencer...... él mismo.
11. ...... pelean constantemente por cualquier tontería.
12. ¡Baje...... usted de ahí! Es peligroso.
13. Cuando ...... riega las flores ...... pone a cantar.
14. Está loco, ...... escribe cartas a sí mismo.
15. Cuando le dije lo que pasaba ...... quedó estupefacto.
16. Aquellos señores ...... odiaban a muerte.

## 86. Explique el sentido de las siguientes expresiones

1. Patearon la obra de teatro.
2. Durante la conferencia, el público era todo oídos.
3. Esta bocacalle no tiene salida.
4. Ojos que no ven, corazón que no siente.
5. Siempre se sale con la suya; tiene mucha mano izquierda.
6. No pegué ojo en toda la noche.

## 87. Rellénense los puntos con un verbo adecuado

1. Al ...... las doce, todo el mundo se tomó las clásicas uvas.
2. Conviene que te ...... otra vez el traje antes de pagarlo.
3. No sabes ...... el nudo de la corbata.
4. El pintor ...... sus cuadros en una sala céntrica de Madrid.
5. La comedia de tu amigo se ...... mañana por la noche.
6. No te ...... prisa para comer; aún no han ...... la mesa.
7. Como mañana es fiesta, hoy he ...... la compra para dos días.

# Apuntes de clase

**88.** **Contéstese a las siguientes preguntas, afirmativa y negativamente, en forma abreviada**

(Frase modelo: *¿Había mucha gente allí? Sí,* la *había*)

1. ¿Tienen mucho dinero?
2. ¿Hay muchos enemigos de la Constitución?
3. ¿Es interesante todo lo que dice?
4. ¿Está la llave echada?
5. ¿Es difícil ese juego?
6. ¿Tiene Vd. mucha prisa?
7. ¿Hay posibilidad de encontrar entradas?
8. ¿Tienes frío?
9. ¿Estaba la carne a punto?
10. ¿Hay algún camino más corto para llegar allí?

**89.** **Observe la frase modelo y termine las frases siguientes incluyendo los pronombres personales necesarios**

Modelo: *Ya le hemos enviado el dinero a tu socio.*
*El dinero ya se lo hemos enviado a tu socio.*
*A tu socio ya le hemos enviado el dinero.*

1. Le han quitado el vendaje al enfermo.
   El vendaje ......
   Al enfermo ......
2. Le van a sacar la muela del juicio mañana.
   La muela del juicio ......
   A él ......
3. Les vendimos la lancha a nuestros vecinos.
   La lancha ......
   A nuestros vecinos ......

4. Me han regalado esa raqueta australiana.
   Esa raqueta australiana ......
   A mí ......
5. Le expliqué los detalles a mi secretaria.
   Los detalles ......
   A mi secretaria ......
6. No han pasado todavía la cuenta del gas a ningún inquilino.
   La cuenta del gas ......
   A ningún inquilino ......


## 90. Rellene los puntos con el pronombre personal adecuado

1. A esa señorita ya ...... conocía antes.
2. Aquel jarrón ...... había comprado en Hong Kong.
3. Esto ...... considero inútil.
4. Cree que ...... sabe todo.
5. Esa oportunidad ...... dejé pasar.
6. Aquello me ...... temía.
7. Estos papeles ...... voy a tirar.
8. El pasaporte ...... renové la semana pasada.
9. Las fotografías ...... saqué en un fotomatón.
10. Siempre ...... quiere todo y no da nunca nada a cambio.


## 91. Rellénense los espacios en blanco con pronombres personales que den sentido

1. No te he traído el reloj; ...... ...... olvidó.
2. No veo carne en la cesta de la compra; ¿...... ...... ha olvidado?
3. No pude terminar aquel año la carrera; ...... ...... impidió la enfermedad.
4. Hablas muy bien el castellano, pero ...... ...... nota a veces el acento gallego.
5. No le dijimos lo que había ocurrido; hay que decir...... ......
6. Creo que te has comprado un traje nuevo, ¿por qué no ...... ...... enseñas?
7. No he recibido tu curriculum vitae; a ver si ...... ...... envías en cuanto puedas.
8. Os repito que es un chico estupendo; ...... ...... recomiendo.
9. Si no tenemos bastante dinero en efectivo para pagarle, ...... ...... envía un cheque y asunto terminado.
10. Es una tela de primera calidad que os dará muy buen resultado; ...... ...... garantizo.

## 92. Empléese la forma correcta de los verbos CONOCER o SABER en las siguientes frases

1. ¿...... (tú) Egipto? ...... (yo) donde está, pero no lo ......
2. ¿...... (Vd.) quién ha venido esta mañana?
3. Soy forastero, no ...... a nadie en esta ciudad.
4. Es muy culto; ...... cuatro idiomas.
5. No ...... la noticia hasta que leí la prensa.
6. (Yo) ...... un poco de francés, sólo para defenderme.
7. Me apena mucho ...... que está enfermo.
8. Se ...... que ha prosperado.
9. La niña ya ...... a sus padres.
10. Soy de tierra adentro, no ...... el mar.

**Apuntes de clase**

**93. Colóquese una forma adecuada del demostrativo
en los ejemplos siguientes**

*Este, esta, esto, estos, estas:*

1. ...... caballos no son purasangres, ...... sí lo es.
2. Tu periódico habla mucho sobre el asunto, pero ...... lo trata
   con más ingenio.
3. Mis camisas son mejores que ......, aunque también son más caras.
4. ...... se creen muy listos, pero creo que les va a fallar su treta.
5. No conozco ...... novela, ni tampoco ...... cuentos.
6. Lo mejor que puedes hacer es llevarte mi bicicleta y tirar ......
   trasto.
7. Francamente, ...... que dices me parece una impertinencia.

*Ese, esa, eso, esos, esas:*

8. No me refiero a esto, sino a ...... que tú y yo sabemos.
9. ...... afirmación me parece demasiado temeraria.
10. A ...... les voy a ajustar yo las cuentas.
11. Los caballeretes ...... vienen por aquí todos los días.
12. Cuidado, te has pasado ...... disco rojo.

*Aquel, aquella, aquello, aquellos, aquellas:*

13. ...... chica es mucho más atractiva que ésta.
14. Lo pasamos en grande ...... vacaciones.
15. No es de ...... de lo que quería hablarte, es de esto.
16. Los romanos y los griegos pusieron las bases de la cultura occidental, ...... en el terreno teórico, éstos en el terreno práctico.
17. En ...... circunstancias era imposible actuar.

## 94. De las formas que van entre paréntesis, elimínense las que no se consideren adecuadas

La solución que das al problema no me parece oportuna. En (esta, esa, aquella) situación lo mejor es guiarse por la conversación que tuvimos en (este, ese, aquel) café de la calle del Barco. Comprenderás que (esta, esa, aquella) secretaria, por muy eficiente que sea, no tiene (este ese, aquel) don de gentes que se necesita en una empresa de (este, ese, aquel) tipo. A (estas, esas, aquellas) alturas, debería haber aprendido a tratar a nuestros acreedores con más tacto. Sinceramente, creo que deberíamos reemplazar a (esta, esa, aquella) secretaria por (esta, esa, aquella) otra que nos recomendó (este, ese, aquel) viajante con el que hablamos en el café. De (esta, esa, aquella) manera, con una mujer agradable y de buena presencia, para recibir a los clientes malhumorados, evitaríamos (estos, esos, aquellos) incidentes que se vienen sucediendo de un tiempo a (esta, esa, aquella) parte.

## 95. Díganse los verbos de significación contraria a los siguientes

| | | |
|---|---|---|
| 1. Trabajar. | 11. Expirar. | 21. Alojar. |
| 2. Reunir. | 12. Recibir. | 22. Limpiar. |
| 3. Recordar. | 13. Aumentar. | 23. Aparecer. |
| 4. Sentarse. | 14. Amanecer. | 24. Montar. |
| 5. Vestirse. | 15. Moverse. | 25. Habitar. |
| 6. Apearse. | 16. Comer. | 26. Excluir. |
| 7. Hablar. | 17. Atar. | 27. Meter. |
| 8. Conocer. | 18. Construir. | 28. Abrochar. |
| 9. Peinarse. | 19. Divertirse. | 29. Salir. |
| 10. Poner. | 20. Regresar. | 30. Mojar. |

## 96. Háganse frases con los siguientes verbos que expresen su diferencia de uso y significado

doler - hacer daño - lastimar
necesitar - hacer falta - echar en falta
caber - haber sitio - encajar
durar - tardar - llevar tiempo
rendir - cundir - dar de sí

# Apuntes de clase

### 97. Colóquense los posesivos en las siguientes frases

1.ª Persona singular.

    1. No te consiento que uses ...... coche.
    2. Este amigo ...... sabe mucho de historia.
    3. Tus preocupaciones no son las ......
    4. Tu profesión es interesante, pero la ...... es fascinante.

2.ª Persona singular.

    1. Mi chica cocina mejor que ...... mujer.
    2. Lo que es mío es también ......
    3. ...... amigotes me fastidian.
    4. ...... razones no me convencen en absoluto.

3.ª Persona singular.

    1. ...... desesperación era verdaderamente patética.
    2. ...... negocios iban de mal en peor.
    3. Este libro ...... es un rollo.
    4. Hay que reconocer que nuestros empleados son menos eficientes que los ......

1.ª Persona plural.

    1. ...... aspiraciones son idénticas.
    2. Ese jardín se parece al ......
    3. Aquella casa ...... está hecha una pena.
    4. No desconfíes; es ......

2.ª Persona plural.

    1. ...... hijos son muy salados.
    2. Dijo el orador: «Jóvenes, el mundo es ......»

3. Con su permiso y con el ...... me retiro.
4. Cuidad ...... amistades.

3.ª Persona plural.

1. ...... pretensiones eran demasiadas.
2. En ...... caso yo no me preocuparía.
3. Este cuñado ...... es un hombre de bien.
4. Se me averió el coche en las mismas circunstancias que las ......

Vd., Vds.:

1. Déme ...... dirección y ...... teléfono.
2. Hay que reconocer que ...... punto de vista es convincente.
3. Sí, mi chico es aplicado, pero el ...... es más inteligente.
4. ¿Son ...... estos papeles?

### 98. Rellénense los puntos con la forma adecuada del posesivo

1. No sabe qué hacer con ...... hijo mayor. Es un bala perdida.
2. ¿No has traído ...... (de ti) paraguas? ¡Llévate el mío!
3. ...... (de nosotros) puntos de vista coinciden.
4. ...... (de vosotros) razones no me convencen.
5. Si estudias, la bicicleta será ...... (de ti).
6. No me quiero meter en ...... (de ellos) negocios.
7. Estas batas son ...... (de ellas), no las cojáis.

### 99. Rellénense los puntos con el artículo y la preposición que exija el contexto

1. La voz que oíste no era ...... ...... John Lennon; era ...... ...... otro Beatle.
2. Los servicios están allí; ...... ...... las señoras a la derecha y ...... ...... caballeros a la izquierda.
3. Los niños que juegan en el jardín no son míos; son ...... ...... los vecinos.
4. Los abrigos que están en la cama son ...... ...... los invitados.
5. El tema de la tesis de Nieves es interesante; ...... ...... Maruchi, aburridísimo.
6. El equipaje de Vd. ya ha llegado; ...... ...... sus amigos tardará más.
7. Los hijos de los ricos siempre tienen más oportunidades que ...... ...... los pobres.

8. Las perlas de este collas son falsas; ...... ...... ése que ves allí, auténticas.
9. Los tenistas de hace años eran buenos; ...... ...... hoy día son mejores.
10. La gestión de su primo ya está resuelta; ...... ...... su cuñada tendrá que esperar un poco.

## 100. Haga frases con las siguientes expresiones con el verbo LLEVAR y explique el significado de las mismas

1. Llevar la contraria (corriente).
2. Llevar la cuenta de algo.
3. Dejarse llevar por alguien.
4. Llevarse bien (mal) con alguien.
5. Llevar años a alguien.
6. Llevar ventaja a alguien.
7. Llevar la casa.
8. Llevar tiempo en (fuera de) un lugar, ciudad, país, etc.

**Apuntes de clase**

**101. Colóquese la forma adecuada del artículo determinado en los siguientes ejemplos**

1. ...... que fue a Sevilla, perdió su silla.
2. No te fíes de ...... que prometen demasiado.
3. No todo ...... que dice es interesante.
4. Esa chaqueta te sienta mal, ...... de pana te cae mejor.
5. Los vecinos de abajo son muy ruidosos, ...... de enfrente son muy prudentes.
6. No vino tu novia, ...... que vino fue su hermana.
7. Los vinos de la Rioja son más ásperos que ...... de Andalucía.
8. Esa calle es dirección prohibida, ...... de la derecha, no.
9. Esa tienda es muy cara. Compra en ...... de la esquina.
10. ...... de Rodríguez son unas cursis.
11. Esta raqueta no me va; con ...... de tu hermano juego mejor.

**102. Colóquese la forma o formas adecuadas de las palabras que van en cursiva en las frases que a continuación se citan**

*Que, cual-es, quien-es, cuyo-a-os-as*

1. Esta mañana ha estado aquí el representante por ...... preguntabas.
2. Hay muchas cosas de ese señor ...... no comprendo.
3. ...... espera, desespera.
4. Elige el libro ...... quieras.
5. Eres tú a ...... quiero hablar, y no a tu hermano.
6. He visto al ingeniero ...... padre es compañero del mío.
7. Estas revistas las hemos leído ya, pero ...... nos interesan no las hemos podido conseguir.
8. La obra de teatro con ...... debutó ese actor era bastante mala.
9. Las chicas a ...... acompañamos estudian Filosofía y Letras.

10. Hemingway, ...... obras son conocidas en todo el mundo, era un gran entusiasta de los toros.
11. Fue él ...... llegó tarde, no tú.
12. En este momento en ...... atravesamos circunstancias difíciles, es preferible no arriesgarse.
13. La aldea en ...... naciste no tiene ni teléfono ni electricidad, lo ...... por desgracia, es muy corriente.
14. Al ...... he visto mucho esta temporada es a Juan.

### 103. Colóquese una forma adecuada del relativo en las siguientes frases

1. Me ha dado todo ...... pedí.
2. Apenas me habló, de ...... deduzco que está enfadado conmigo.
3. Hay ...... nace cansado y no se recupera en la vida.
4. El es ...... debe presentarse al director.
5. La semana ...... viene salimos de viaje.
6. Los ...... lo deseen pueden hacer el examen el próximo día.
7. Te mando las medicinas ...... me encargaste.
8. Los obreros, ...... vivían lejos, llegaron tarde al trabajo.
9. Los alumnos ...... no estudiaron lo suficiente suspendieron la asignatura.
10. Tiraron las manzanas ...... estaban podridas a los cerdos.
11. Los bomberos ...... estaban de guardia acudieron con gran rapidez a la llamada.
12. Te voy a explicar la razón por ...... estoy aquí.
13. ...... mucho abarca, poco aprieta.
14. Las personas ...... estaban detrás apenas podían ver ni oír a los actores.

### 104. Díganse los adjetivos correspondientes a los siguientes sustantivos

| | | |
|---|---|---|
| 1. Equilibrio. | 11. Razón. | 21. Exageración. |
| 2. Músculo. | 12. Ambición. | 22. Energía. |
| 3. Pelo. | 13. Hombre. | 23. Literatura. |
| 4. Bondad. | 14. Gracia. | 24. Luz. |
| 5. Dolor. | 15. Simpatía. | 25. Siervo. |
| 6. Pasión. | 16. Nervio. | 26. Envidia. |
| 7. Fuerza. | 17. Cerebro. | 27. Mujer. |
| 8. Satisfacción. | 18. Ocio. | 28. Estupidez. |
| 9. Historia. | 19. Universidad. | 29. Desesperación. |
| 10. Gigante. | 20. Atención. | 30. Fiebre. |

**Apuntes de clase**

## 105.  Léanse las siguientes frases

1.  Hizo todo el viaje a 120 kilómetros por hora.
2.  Había unas 100 personas en la conferencia.
3.  Me quedan 1.000 pesetas para terminar el mes.
4.  Fueron a recibirle unas 3.000 personas.
5.  Vivo en Mayor, 45, piso 1.º.
6.  Nuestros amigos han alquilado el 3.ᵉʳ piso de esa casa.
7.  El 1 de noviembre es fiesta.
8.  Desde 1955 ha aumentado enormemente la circulación en Madrid.
9.  El siglo xx es el siglo de la técnica y el xix el de la ciencia.
10.  América fue descubierta en 1492.
11.  Este año celebramos el 20 aniversario de nuestra boda.
12.  Su abuelo llegó a vivir 103 años.
13.  La guerra civil española duró de 1936 a 1939.
14.  La noche del 31 de diciembre se llama en España Nochevieja.
15.  El año 1000 se creyó que marcaría el fin del mundo en toda la Cristiandad.
16.  Creo que no gana más de 12.500 pesetas a la semana.
17.  ¿Tiene Vd. bastante con 700 pesetas?
18.  La población de la ciudad de Méjico era de 7.000.000 de habitantes en 1970.
19.  Avila está situada a 1.000 metros sobre el nivel del mar.
20.  En Córdoba es muy frecuente alcanzar temperaturas de 40° centígrados sobre cero en pleno verano.
21.  Mi amigo ganó 100.000 pesetas a las quinielas y a mí me tocó 1/4 de millón.
22.  El año 1981 ha sido uno de los más secos del siglo en Andalucía.

## 106. Léanse los siguientes números en forma ordinal

1, 2, 3, 4, 5, 6, 7, 8, 9, 10, 11, 12, 13, 14, 15, 20, 23, 25.

## 107. Obsérvense los siguientes usos de «ya» y busque la posible equivalencia en su lengua nativa

1. Ya lo sé porque lo he leído.
2. El ya estaba allí cuando yo llegué.
3. Ya se lo comunicaré a usted cuando tenga noticia.
4. Lo siento, pero ese señor ya no vive aquí.
5. Ya me lo supongo porque me avisó con antelación.
6. Ya no se ven los viejos tranvías por las calles de la ciudad.
7. Ya lo comprendo, no le des más vueltas al asunto.
8. Ya no escribe más porque no le publican nada.
9. ¡Ya está bien de bromas! No te pases.
10. ¿Te das cuenta? Ya, ya.
11. Lo mejor es que le devuelvas las tres mil pesetas, ¡y ya está!

## 108. Explíquese el significado de las siguientes palabras y expresiones

1. Comisaría.
2. Tenencia de Alcaldía.
3. Ayuntamiento.
4. Casa de Socorro.
5. Caja de Ahorros.
6. La Telefónica.
7. Correos.
8. Tribunal Supremo.
9. Juzgado.
10. El Congreso.
11. Renfe.
12. Aduanas.
13. Hacienda.
14. Gestoría.
15. Mudanzas.
16. Consigna.

**109. Complétese el sentido de las siguientes frases con una de las palabras en cursiva. Algunas admiten más de una solución**

*Alguien, algo, nadie, nada, quienquiera, cualquier-a, un(o), ningun(o), mucho*

1. Tiene un carácter muy abierto; hace amistad con ......
2. ¿Hay ...... en el váter?
3. Ha dicho ...... que no entiendo.
4. La fiesta me resultó aburrida porque no conocía a ......
5. El trabajo está bien, pero a ...... le gusta divertirse de vez en cuando.
6. Es un ignorante; no sabe absolutamente ...... de ......
7. ...... de estos trajes me satisface.
8. No conozco ...... hombre con más personalidad que él.
9. Este incendio se ha producido por ...... cortocircuito.
10. La nueva barriada tenía ...... mercado y dos supermercados.
11. No basta con saber ......, hay que demostrarlo.
12. ...... que haya hecho esto, demuestra muy mala idea.
13. Esa dirección se la puede dar ...... policía.
14. Lo hizo sin escrúpulo ......
15. ...... de nosotros comprendió la conferencia.

**110. Complétese el sentido de las siguientes frases con una de las palabras que siguen: TODO-A-OS-AS; MUCHO-A-OS-AS; CIERTO-A-OS-AS; AMBOS-AS; TAL-ES; SEMEJANTE-S; MEDIO-A-OS-AS**

1. Al hombre ...... español le gusta el chateo.
2. No los conocemos a ......, sólo a unos cuantos.
3. ...... son partidarios de una reforma radical, pero no todos.
4. A pesar de todo lo que digas, no deja de ser un ...... hombre.

5. Sois ...... para cual; en otras palabras, sois idénticos.
6. Este tío es una maravilla; lo sabe ......
7. He oído ...... rumores de que te vas a casar.
8. De ...... palo, ...... astilla.
9. No me atrevo a dirigirle la palabra a ...... animal.
10. ...... gobiernos están de acuerdo en su política exterior; los dos persiguen los mismos fines.
11. Tú explicas el problema a tu modo, pero ...... razones no son muy convincentes.
12. Nos dieron noticias ...... de su paradero.
13. En ...... ocasión, hace ya ...... años, hicimos un viaje por el norte de Europa.
14. Nos lo contó ...... señor.

## 111. Rellénense los puntos con las palabras MUY, MUCHO(A), BIEN, BUENO(A), según convenga

1. El gazpacho frío sabe ......
2. Se expresa ......
3. Tengo ...... hambre.
4. No me encuentro ......; tengo ...... dolor de cabeza.
5. La película fue bastante ......
6. El postre está ...... ......
7. No estoy ...... hoy.
8. Tu determinación no me convence ......
9. Eso está ...... ......, pero me cuesta ...... trabajo creerlo.
10. Eran gente de ...... dinero.

## 112. Explique el sentido de las siguientes locuciones con el verbo DAR

1. ¡No me dé Vd. la lata!
2. El reloj ha dado las doce.
3. Se las da de listo.
4. ¡Qué más da, hombre!
5. Se dieron la mano muy cordialmente.
6. Le di la enhorabuena por su éxito.
7. ¿Me acompañas? Voy a dar un paseo.
8. Me has dado un susto de muerte.
9. El alcalde dio la bienvenida al nuevo arzobispo.
10. No doy con la solución de este problema.
11. Tienes que darle de comer al niño.
12. Ayer me diste un plantón.

## 113. Dígase cuál es el nombre colectivo que corresponde a los siguientes conceptos

1. Conjunto de perros de caza:
2. Conjunto de pájaros en vuelo:
3. Conjunto de abejas:
4. Conjunto de islas:
5. Conjunto de músicos:
6. Los 11 hombres que integran una formación de fútbol:
7. Conjunto de ovejas:
8. Conjunto de animales salvajes:
9. Conjunto de barcos:
10. Conjunto de voces que cantan:
11. Conjunto de viñas:
12. Conjunto de personas dedicadas al culto religioso:
13. Conjunto de cerdos:
14. Conjunto de los soldados de una nación:
15. Conjunto de individuos que integran una nación:
16. Conjunto de pinos:
17. Grupo organizado de ladrones:

**114. Pónganse las siguientes palabras en plural y utilícelas en frases**

1. el lunes.
2. el lápiz.
3. el carácter.
4. la crisis.
5. el andaluz.
6. el cáliz.
7. el rubí.
8. el hacha.
9. el jabalí.
10. el agua.
11. el águila.
12. el viernes.
13. el régimen.
14. la voz.
15. la cruz.
16. la tesis.

**115. ¿Cuáles de las siguientes palabras admiten el singular?**

1. Gafas.
2. Tijeras.
3. Víveres.
4. Tenazas.
5. Gemelos.
6. Modales.
7. Alrededores.
8. Afueras.
9. Tinieblas.
10. Agujetas.
11. Pantalones.
12. Alicates.
13. Cosquillas.
14. Narices.
15. Calcetines.
16. Enseres.
17. Anales.
18. Pulmones.
19. Orejas.
20. Celos.
21. Bodas.
22. Funerales.
23. Postres.
24. Helados.
25. Equipajes.

**116.** Palabras que tienen distinto significado según vayan en singular o plural. Fórmense frases en ambos números

1. Facción.
2. Corte.
3. Esposa.
4. Grillo.
5. Bien.
6. Deber.
7. Celo.
8. Alma.
9. Facilidad.
10. Fuerza.


**117.** ¿Cuáles de las siguientes palabras admiten plural? Fórmense frases

1. Sed.
2. Calor.
3. Temblor.
4. Oeste.
5. Club.
6. Salud.
7. Hambre.
8. Tez.
3. Razón.
10. Caos.
11. Puñetazo.
12. Caridad.
13. Plata.
14. Enhorabuena.
15. Ciervo.
16. Pescado.


**118.** Explique el sentido de las siguientes expresiones

1. ¡Adiós, muy buenas!
2. Esta historia no tiene ni pies ni cabeza.
3. ¡Ojo con el tráfico!
4. Ese tipo se trae algo entre manos.
5. Vamos a echarlo a cara o cruz.
6. Económicamente, está con el agua al cuello.
7. ¡No te hagas ilusiones!
8. Explicaré mis planes sobre la marcha.

### 119. Dígase el femenino de las siguientes palabras

| | | | |
|---|---|---|---|
| 1. | Toro. | 16. | Estudiante. |
| 2. | Presidente. | 17. | Testigo. |
| 3. | Yerno. | 18. | Suegro. |
| 4. | Caballo. | 19. | Carnero. |
| 5. | Rey. | 20. | Azúcar. |
| 6. | Joven. | 21. | Hombre. |
| 7. | Dependiente. | 22. | Tigre. |
| 8. | Intérprete. | 23. | Alcalde. |
| 9. | Cantante. | 24. | Pianista. |
| 10. | Mar. | 25. | Varón. |
| 11. | Tío. | 26. | Padre. |
| 12. | Sastre. | 27. | Mártir. |
| 13. | Actor. | 28. | Homicida. |
| 14. | Príncipe. | 29. | Conferenciante. |
| 15. | Imbécil. | 30. | Cuñado. |

### 120. Dígase el femenino de las siguientes palabras

| | | | |
|---|---|---|---|
| 1. | Catedrático. | 11. | Locutor. |
| 2. | Poeta. | 12. | Profesor. |
| 3. | Bailarín. | 13. | Mulo. |
| 4. | Emperador. | 14. | Marqués. |
| 5. | Barón. | 15. | Abad. |
| 6. | Sacerdote. | 16. | Telefonista. |
| 7. | Secretario. | 17. | Periodista. |
| 8. | Amante. | 18. | Adolescente. |
| 9. | Sirviente. | 19. | Deportista. |
| 10. | Gorrión. | 20. | Candidato. |

## 121. Colóquese el artículo determinado que corresponda

1. Broma.
2. Idioma.
3. Radiador.
4. Fantasma.
5. Corazón.
6. Radio.
7. Lengua.
8. Tema.
9. Canción.
10. Día.
11. Papa.
12. Reuma.
13. Menú.
14. Pez.
15. Uva.
16. Juventud.
17. Tribu.
18. Pote.
19. U.
20. Tos.
21. Mapa.
22. Higuera.
23. Higo.
24. Catorce.
25. Dibujo.
26. Amor.
27. Enfasis.
28. Sal.
29. Tesis.
30. Cárcel.
31. Hora.
32. Problema.
33. Ciruela.
34. Canarias.
35. Matemáticas.
36. Vejez.
37. Ave.
38. Metrópoli.
39. Análisis.
40. Flor.
41. Libertad.
42. Clima.
43. Crucigrama.
44. Trigo.
45. Mano.
46. Escultura.
47. Césped.
48. Telegrama.
49. Sistema.

## 122. Colóquese el artículo determinado o indeterminado donde sea necesario

1. ...... rugby es mucho menos popular en España que el fútbol.
2. Después de comer pidió ...... café, copa y puro.
3. Cuando encarecieron ...... plátanos, compraba ...... naranjas.
4. ...... máquina va sustituyendo a ...... hombre cada vez más.
5. Dame ...... pan y llámame tonto.
6. ...... muerto al hoyo y ...... vivo al bollo.
7. Para ser buen comerciante hay que tener ...... vista.
8. No me agradaba ...... vista que se divisaba desde el balcón.
9. El anuncio del periódico decía: necesitamos ...... chófer experto.
10. Se necesita ...... hombre de confianza para dirigir ...... empresa de ámbito nacional.
11. A casi todo el mundo le gusta ...... dulce.
12. ...... doctor Fleming fue ...... gran benefactor de la humanidad.
13. ...... señorita Fernández se distingue por su elegancia en ...... vestir.
14. ...... señor director llega siempre tarde.

### 123. Dígase el término que corresponde a los siguientes conceptos de tiempo

1. El día después de mañana:
2. Un período de tres meses:
3. Un período de seis meses:
4. Un período de diez años:
5. Un período de cinco años:
6. Un período de dos años:
7. Un período de quince días:
8. El día anterior a ayer:
9. Lo que tiene cien años de edad:
10. Día en que se cumplen años de algún suceso:

### 124. Háganse frases con los siguientes verbos que expresen sus diferencias de significado

tratar - procurar - intentar
marcar - arañar - rayar
frotar - pulir - cepillar
comprobar - revisar - puntear
apuntarse - matricularse - inscribirse

**Apuntes de clase**

**125. Colóquese el artículo determinado apropiado en los espacios que van marcados por puntos**

1. ...... bueno, si breve, dos veces bueno.
2. ...... noble es respetar los sentimientos de los demás.
3. Me gusta ...... verde del paisaje asturiano.
4. A todos los niños les gusta ...... dulce.
5. ...... envejecer no es ...... triste, sino ...... ver envejecer a los otros.
6. Se produce vino a ...... largo y a ...... ancho de España.
7. He comprendido ...... noble y ...... bello de esa nación.
8. El sastre me tomó medidas de ...... largo y ...... ancho de la chaqueta.
9. ...... pensar en los demás es la primera regla de la convivencia.
10. ...... hacerse esperar era una de sus características más desagradables.
11. ...... que hayas estado en Inglaterra seis meses no te autoriza a pontificar.
12. ...... absurdo de Juan es que nunca sabe lo que quiere.
13. ...... que tengas dinero no te autoriza a avasallarnos.
14. ¿No ven ustedes ...... ridículo de su comportamiento?
15. Muestra un culto por ...... antiguo impropio de su edad.
16. Los amigos le hacían ...... vacío.
17. ...... natural es sinónimo de elegancia.
18. Juan es un pintor especializado en ...... desnudo.

**126. Rellénense los puntos con el artículo adecuado**

1. ...... típico es tomarse un chato en el Madrid viejo.
2. ...... más sensato es no perder ...... calma en ...... momentos de peligro.

121

3. ...... difícil, a veces, es dar la razón a los que no están de acuerdo con nosotros.
4. ...... azul del cielo madrileño es incomparable.
5. Todo ...... salado va bien con el vino seco.
6. ...... comer no desagrada a nadie; lo que desagrada es ...... engordar.
7. No sabía ...... simpático que era hasta que lo traté.
8. ...... claro de su dicción es lo que más gusta a la gente.
9. ...... divertido del caso es que presume mucho y no sabe nada.
10. Le molesta hacer ...... ridículo.
11. Fue una fiesta por todo ...... alto.
12. ...... que escriba versos no quiere decir que sea un buen poeta.
13. ...... triste de Pedro es ...... vacío de su carácter.
14. Anuncio de una película: «Mike Henry, un Tarzán distinto: a ...... James Bond.»
15. ...... curioso del caso es que ya lo sabía.
16. ...... importante fue que jugó bien.
17. ¡...... bien que lo estoy pasando hoy!

## 127. Colóquese el artículo determinado donde sea necesario

1. No sabes ...... trabajo que me costó pintar la habitación.
2. Habla ...... francés e ...... inglés a ...... perfección.
3. Va por ...... cuarto año de ...... derecho.
4. ¿Te gusta ...... fruta o prefieres ...... flan?
5. ¡Ay, me he mordido ...... lengua!
6. Se arremangó ...... camisa; hacía mucho calor en la habitación.
7. Me duele ...... dedo gordo de ...... pie.
8. Con ese traje te iría mejor ...... corbata azul.
9. Se metió ...... mano en ...... bolsillo.
10. Estudia ...... matemáticas para ingresar en una escuela de ingenieros.
11. No le gusta ...... arte, prefiere ...... historia.
12. ¡Bueno, hasta ...... sábado a ...... once en punto!
13. Me encanta ...... chocolate con ...... churros.
14. ...... gramática suele resultar bastante pesada.
15. Sabe ...... taquimecanografía; eso le ayudará a conseguir un buen empleo.
16. ...... ser humano es ambicioso por naturaleza.
17. ...... Madrid del siglo XIX era un pueblo grande.
18. ...... Tío Sam es un símbolo de los Estados Unidos.

## 128. Palabras que cambian de significado según el género. Fórmense frases

1. El capital - la capital.
2. El orden - la orden.
3. El cura - la cura.
4. El frente - la frente.
5. El corte - la corte.
6. El cólera - la cólera.
7. El margen - la margen.
8. El policía - la policía.
9. El vocal - la vocal.
10. El calavera - la calavera.
11. El cometa - la cometa.
12. El pendiente - la pendiente.
13. El partido - la partida.
14. El cubo - la cuba.
15. El soldado - la soldada.
16. El pez - la pez.
17. El editorial - la editorial.
18. El guía - la guía.
19. El parte - la parte.

## 129. Fórmense frases con las siguientes expresiones donde aparece la palabra PUNTO

1. Estar a punto de.
2. Punto de vista.
3. Puntos suspensivos.
4. En punto.
5. Punto seguido.
6. Al punto.
7. Hacer punto.
8. Punto y aparte.
9. Punto cardinal.
10. Poner puntos (en una herida).

**Apuntes de clase**

## 130. Rellene los puntos con las partículas adecuadas

1. He comprado muchos menos libros ...... necesito.
2. Lo que me ofrecen es más del doble ...... gano ahora.
3. Su padre dejó al morir mucho más dinero ...... sospechábamos.
4. Le dispensan menos atención ...... merece.
5. Asistieron a la reunión muchos más ...... se esperaban.
6. Este traje te durará más ...... compraste las Navidades pasadas.
7. El estudio requería más dedicación ...... creíamos.
8. Hablaba inglés mucho peor ...... nos había dicho.

## 131. Rellene los puntos con las partículas adecuadas

1. Gasta más dinero en un mes ...... (yo) gano en un año.
2. Esa chica es más guapa ...... me presentaste el otro día.
3. Recibió menos felicitaciones ...... se merecía.
4. Trabaja más horas ...... puede.
5. Los alumnos de este año son más inteligentes ...... tuvimos el año pasado.
6. Ahora tiene menos esperanzas ...... tenía cuando era joven.
7. Compra más libros ...... puede leer.
8. Tenía más talento ...... se exigía para ingresar en la diplomacia.

## 132. Rellene los puntos con las partículas necesarias para completar el sentido de las frases

1. ...... más habla, más se lía.
2. ¡Es curioso!, pero ...... menos dinero tengo, más me divierto.
3. El es muy generoso ...... con sus amigos como con sus enemigos.
4. Cuanto ...... termines, mejor.

5. ...... más se lo digo, menos me escucha.
6. Tanto los estudiantes ...... los profesores desean resolver el problema de la Universidad.
7. ...... más lo pienses, menos lo comprenderás.
8. ...... la aristocracia como el pueblo se unieron contra el invasor.

### 133. Exprésense con otras formas los superlativos que aparecen en cursiva

1. Era una película de suspense *malísima*.
2. La máquina dio un rendimiento *buenísimo*.
3. Aquellos oradores eran *muy elocuentes*.
4. *El mayor* error de Napoleón fue invadir Rusia.
5. El ideal de la economía es siempre conseguir el *más grande* beneficio con el *más pequeño* esfuerzo.
6. «La Maja Desnuda» de Goya es un cuadro *muy célebre*.
7. La fabada asturiana es un plato *muy fuerte*.
8. Su comportamiento en aquella situación fue *muy noble*.
9. España está llena de castillos *muy antiguos*.
10. La propaganda de los nuevos detergentes sostiene que éstos «lavan blanco, *muy blanco*».
11. La Ciudad de los Poetas es un barrio *muy nuevo* de Madrid.
12. Dijo dos o tres máximas *muy sabias* en el curso de su conferencia.

### 134. Explique la diferencia de significado que existe entre los siguientes pares de frases

1. No gana más de 5.000 ptas.
   No gana más que 5.000 ptas.
2. No hay más existencias de las que pueden Vds. ver.
   No hay más existencias que las que pueden Vds. ver.
3. Nunca compro más de dos camisas al año.
   Nunca compro más que dos camisas al año.
4. No estuvo más de un cuarto de hora allí.
   No estuvo más que un cuarto de hora allí.
5. Ese niño no parece tener más de diez años.
   Ese niño no parece tener más que diez años.

## 135. Complétense las siguientes frases con la preposición adecuada y un infinitivo

1. Se cansó ......
2. No dejes ......
3. Nos dedicábamos ......
4. Ha tenido que disculparse ......
5. Se echó ......
6. Está avergonzada ......
7. Confío ......
8. ¿Se ha arrepentido ......?
9. Nos alegramos mucho ......
10. Se hartaron ......
11. No insista Vd. ......
12. Siempre ha luchado ......
13. No te olvides ......
14. Quedó ......
15. Se habían quejado ......
16. Renunciaré ......
17. Se negó ......
18. Tardó mucho ......

## 136. Explíquese el sentido de las siguientes expresiones estudiantiles

1. La clase de geografía es un rollo.
2. Se llevó varias chuletas al examen.
3. Está haciendo la tesina.
4. Ha sacado las oposiciones a cátedra.
5. Vive en un colegio mayor.
6. ¿Has hecho ya la matrícula?
7. Estoy haciendo un curso de historia del español.

**Apuntes de clase**

**137. De estas palabras, colóquese la que convenga en las siguientes frases, MAYOR, MENOR, MAXIMO, MINIMO, SUPERIOR; INFERIOR, SUPREMO, OPTIMO INFIMO. Algunas frases admiten más de una solución**

1. Ese asunto no me importa lo más ......
2. La máquina nos ha salido muy buena, ha dado un resultado ......
3. Conviene dar publicidad a esta reunión; debe venir el ...... número posible de personas.
4. No tengo el ...... deseo de asistir a esa cena.
5. Hay que apurar la vida hasta el ......
6. Este vino está ......; es de primerísima calidad.
7. En el piso ...... vive un pianista célebre.
8. Ese señor es dę ...... extracción social y, sin embargo, ha logrado una posición ...... en la sociedad.
9. El Tribunal ...... es el ...... órgano de justicia en España.
10. La ...... oposición a esta reforma de la enseñanza partió de las clases ......

**138. Coloque los adjetivos entre paréntesis en los puntos marcados antes o detrás de cada sustantivo**

Las (grandes) ...... ciudades ......, que crecen desmesurada y anárquicamente, están supeditadas a un (continuo) ...... desplazamiento ...... de su (tradicional) ...... centro ...... Así, el (geográfico) ...... centro ...... de la Puerta del Sol se está desplazando, pero se ¿desplaza con él todo su (social) ...... entorno ......?

Del (tradicional) ...... centro ...... madrileño se fueron los niños, los (numerosos) ...... pájaros ......, las (vistosas) ...... macetas ...... de los balcones; permanecen las platerías, las (viejas) ...... pensiones ......, las (destartaladas) ...... tiendas ...... de ornamentos y uniformes; han venido la (azul) ...... zona ......, los (modernos) ...... supermercados ...... y los (americanos) ...... bares ......, las (progres) ...... librerías ...... y las (sofisticadas) ...... discotecas ......

**139. Coloque los adjetivos entre paréntesis en los puntos marcados antes o después de cada sustantivo**

Las (actuales) ...... investigaciones ...... en la tecnología de los ordenadores siguen también otros rumbos. Por ejemplo, los que utilizan líquidos o gases en lugar de (eléctricas) ...... corrientes ...... Una (importante) ...... ventaja ...... sobre los (convencionales) ...... ordenadores ...... estriba en que ofrecen (mayor) ...... seguridad ...... que éstos en (adversas) ...... circunstancias ......; por ejemplo, si están sometidos a (grandes) ...... variaciones ...... de temperatura, como ocurre en los (espaciales) ...... vehículos ......

**140. Varíese la posición de los adjetivos en cursiva que lo permitan sin cambiar el significado**

El *gran* hombre donó todos sus bienes a la gente *pobre* del lugar. Ocurrió esto el día de *San* José. En un principio, supuso un *difícil* problema el repartir equitativamente la *inmensa* riqueza que poseía; la *buena* gente apreció en todo su valor el *hermoso* gesto del filántropo. El *feliz* pueblo manifestó su agradecimiento con una fiesta de homenaje a la que todo el mundo asistió con *vistosos* trajes *tradicionales:* había mujeres con faldas ribeteadas de encaje *verde,* pañuelos de seda *roja* y hombres que portaban *negros* sombreros, camisas *blancas* bordadas y *altas* botas. La fiesta tuvo lugar en uno de los prados *cercanos;* el día era espléndido y, en la escena, contrastaba la *verde* hierba, el cielo *azul* y la *blanca* nieve que coronaba las cumbres de las montañas, al fondo.

**141. Expresar con el verbo adecuado las siguientes ideas**

| | |
|---|---|
| 1. Hacer más largo: | 9. Ponerse triste: |
| 2. Pintar de blanco: | 10. Hacerse viejo: |
| 3. Poner en orden: | 11. Hacerse más joven: |
| 4. Perder peso: | 12. Ponerse alegre: |
| 5. Ir hacia atrás: | 13. Ponerse furioso: |
| 6. Hacer más corto: | 14. Ponerse borracho: |
| 7. Ganar peso: | 15. Dar luz: |
| 8. Hacer más fuerte: | |

## 142. Explíquese el sentido de las siguientes expresiones estudiantiles

1. Se le da muy bien tomar apuntes.
2. He sacado un aprobado, dos notables, tres sobresalientes y una matrícula de honor.
3. Le han concedido una beca.
4. Estoy pegado en latín.
5. Ese chico alto es un empollón.
6. ¿Te vas a presentar a ese examen?
7. Hoy pasará lista el profesor.

**Apuntes de clase**

## 143. Colóquense los adjetivos siguientes en la posición adecuada y en su forma correcta

BUENO

  1. ¡En ...... lío ...... me has metido!
    ¡...... faena ...... me han hecho!

TRISTE

  2. Es un ...... empleado ......; no gana ni para zapatos.
    Me contó una ...... historia ...... que me hizo llorar.

POBRE

  3. ¡...... doña Juana ......! Aún se cree joven.
    Es un miserable con ...... parientes ......

MALO

  4. ¡...... negocio ...... me propones!
    Es una persona de ...... instintos ......

MALDITO

  5. El ...... dinero ...... es causa de muchos pesares.
    Es una ...... casa ......; nadie quiere vivir en ella.

## 144. Colóquense los adjetivos siguientes en la posición adecuada y en su forma correcta

DICHOSO

  1. No puedo soportar más a este ...... individuo ......
  2. La ...... gente ...... no suele saber que lo es.

MENUDO

   3. ¡...... sinvergüenza ...... estás hecho!

   4. Muchos grandes hombres tienen ...... cuerpo ......

SANTO

   5. Me estuvo dando la lata todo el ...... día ......

   6. El ...... Jueves ...... cae este año a últimos de marzo.

BENDITO

   7. Todas las iglesias católicas tienen a la entrada una pila de ......
agua ......

   8. ¡En ...... hora ...... habré dicho yo eso!

VALIENTE

   9. Tuvo un ...... gesto ...... al enfrentarse con ese problema.

  10. ¡...... soldado ...... eres tú!

BONITO

  11. ¡...... plantón ...... nos han dado!

  12. Esa chica tenía una ...... cara ......

**145. Colóquese la forma adecuada de las siguientes palabras en la posición que convenga al sentido de la frase: BUENO, MALO, GRANDE, SAN(TO), TAN(TO)**

   1. Todo el mundo conoce la parábola del «...... samaritano ......».

   2. El descubrimiento de América fue la ...... aventura ...... del siglo XV.

   3. Gana ...... dinero ...... que no sabe qué hacer con él.

   4. Es ...... estúpido ...... que ni siquiera sabe dónde tiene la mano derecha.

   5. El que disfruta con el daño ajeno es un ...... hombre ......

   6. ...... Valentín ...... es el patrón de los enamorados.

   7. ...... Tomás ...... fue uno de los grandes filósofos medievales.

   8. ¡...... pieza ...... estás tú hecho!

   9. Las siete era ...... hora ...... para acudir a la cita porque en ese momento estaba ocupado con otras cosas.

  10. El verano es ...... época ...... para hacer excursiones.

  11. Las ...... compañías ...... le llevaron a la ruina.

  12. ...... Domingo es la capital de la República Dominicana.

  13. Habla ...... que aturde a todos los que le escuchan.

  14. Era un hombre de ...... ideales ...... y de ambiciosos proyectos.

## 146. Sustitúyase la forma del verbo DEJAR en cursiva por un sinónimo

1. Me *dejó* 1.000 pesetas.
2. Le *dejé* mi casa por un mes.
3. ¡*Dejen* paso, por favor!
4. He *dejado* los estudios por dificultades económicas.
5. No me han *dejado* abrir la boca.
6. *Dejó* el coche en el aparcamiento.
7. *Dejamos* la ciudad muy de mañana.
8. ¡*Dejen* los cubiertos como estaban!
9. Se metieron por un camino vecinal, *dejando* la carretera a la derecha.
10. ¡Qué lata! Me he *dejado* el paraguas en la oficina.

## 147. Rellénense los puntos con el verbo que expresa el grito característico de los siguientes animales

1. El perro ......
2. El gato ......
3. El lobo ......
4. El caballo ......
5. La vaca ......
6. El asno ......
7. La oveja ......
8. El pájaro ......
9. El león ......
10. La gallina ......
11. El cerdo ......
12. El gallo ......

# Apuntes de clase

*dar la cara = accepts blame for someone.*
*por alguien*

**148. Colóquese la preposición POR o PARA, según convenga, en los siguientes ejemplos**

*causa* 1. POR tu culpa hemos llegado tarde al teatro.
*finalidad* 2. Venimos para comunicarle que el experimento ha sido un éxito.
*tiempo* 3. Estos días, por la mañana, hace mucho frío.
*según* 4. Por lo que dice en la carta, debe estar divirtiéndose mucho.
*exact* 5. Por abril se anuncian grandes tormentas. *por abo*
6. Hay que tener cuidado con el niño, se puede caer por la ventana.
7. Hemos estado paseando por la ciudad más de tres horas.
8. Venimos para vosotros, tenemos pensado hacer una excursión a Toledo.
*finalidad* 9. Para ese viaje no necesito maletas.
*fin* 10. Para decirte la verdad, estoy un poco cansado de todo esto.
*voz pasiva* 11. Fue declarado culpable por el tribunal.
12. Por lo general, suele llegar tarde.
13. La nueva guía telefónica de Madrid está para salir.
*decisión* 14. Estoy para quedarme en casa; hace un frío enorme.
15. La fecha del referéndum ha sido anunciada por radio y televisión. *medio*
*causa* 16. Por ti, haría ese secrificio y más; por tu amiguito, no.
17. Pudimos pasar por Bilbao camino de San Sebastián.
18. Para ser sincero, no me gusta eso que has hecho.
19. ¡Por Dios!, tenga cuidado con lo que hace.
20. Vamos a brindar por la feliz pareja.
21. Durante toda su vida lucharon por sus principios y convicciones.
22. He dado la cara para ti, y tú no me lo agradeces.
23. Por ese dinero que tú has pagado, me compro yo dos corbatas.
24. Por 12.000 ptas. se puede ir a las Canarias.
25. Por fin se ha comprado un traje nuevo; le hacía mucha falta.
26. Pedro Fernández, ¿quiere Vd. a Laura Rebollo por esposa?

137

*Una película*

*Es para morirse de risa*
*= Es (tan) divertida (que) te mueres de risa*

27. Baja por una botella de vino a la tienda de la esquina.
28. Para la edad que tiene, debía hablar ya.
29. Esta fiesta está como para dormirse.

*El japonés es para morirse*
*= El japonés es (tan) difícil (que) te puedes morir*

## 149. Colóquese la preposición POR o PARA en los siguientes ejemplos

1. ¿Y ...... esto me has mandado llamar?
2. Ha llorado ...... ti toda la mañana.
3. Durante el verano hace jornada intensiva y no trabaja ...... la tarde.
4. ...... lo visto, aún no se ha ido.
5. ...... aquellos meses estuvo muy enfermo.
6. Se escapó ...... la escalera de servicio.
7. No andes ...... el césped; está prohibido.
8. En realidad, lo hice ...... ellos; a mí no me interesaba nada.
9. ...... triunfar hace falta fuerza de voluntad.
10. ...... lo que me cuentas, no estás muy segura de su cariño.
11. ...... terminar, unas palabras de felicitación a nuestro presidente.
12. Estuve ...... ir a verle y decirle cuatro verdades.
13. Tengo un dinero ...... cobrar.
14. Lo llamaron ...... el altavoz.
15. El consejero de administración votó ...... una subida de salarios.
16. Voy a estar atento ...... si acaso hablan de mí.
17. Hombre precavido vale ...... dos.

## 150. Fórmense frases con las siguientes expresiones

1. A mano.
2. A voces.
3. A diestra y siniestra.
4. A lo lejos.
5. A más tardar.
6. A propósito.
7. A ver.
8. Al fin y al cabo.
9. En serio.
10. En broma.
11. En secreto.
12. En general.
13. En particular.
14. En cuclillas.
15. En absoluto.
16. En memoria de.
17. En realidad.
18. En resumen.
19. En verdad.
20. En otras palabras.
21. En plan de.

## 151. Explíquese el sentido de las siguientes expresiones con el verbo HACER

1. No se cansa de hacer el ganso.
2. Me molesta hacer el primo.
3. ¡Oye, no te hagas de nuevas!
4. Estoy hecho polvo.
5. Ya estoy hecho al clima de este país.
6. ¡No le haga Vd. caso!
7. Hacer el ridículo.
8. Hacerse el + adjetivo (se hizo la muerta).

Es para morirse de aburrimiento
Es tan aburrido que te mueres de
aburrimiento

Es tan guapo que te mueres de alegría
cuando estás con él.
= Es para morirse de satisfacción

**Apuntes de clase**

### 152. Complétense las siguientes frases con las preposiciones EN o A

1. ...... invierno, ...... las seis de la tarde, ya es de noche.
2. Esa chica se comporta un poco ...... lo loco.
3. Llevamos cinco años ...... este país.
4. ...... decir verdad, esto de las vitaminas no me convence.
5. Estamos ...... la lección 25; mañana quisiera pasar ...... la 26.
6. ...... lo mejor aprobamos, ¿quién sabe?
7. Los guardias se colocaron ...... ambos lados de la calle.
8. ...... los negocios hay que andar con mucha cautela.
9. ¡Acércate ...... la estufa!, la habitación está muy fría.
10. Me lo vendía ...... 100 ptas., pero no las tenía en aquel momento.
11. ...... la entrada del cine había una vendedora de tabaco.
12. Supongo que vendrán ...... avión; eso es lo que dijeron ...... su carta.
13. Está aprendiendo ...... tocar la guitarra.
14. No sé cuándo, ni ...... qué parte lo he visto.
15. El kilo de naranjas está ...... 14 ptas. ...... mi barrio.
16. ¿...... qué piensas?
17. ¿Te gusta la merluza ...... la romana?
18. Entraron de uno ...... uno.
19. ¿...... cómo está hoy el kilo de langosta?
20. Esta ...... un plan insoportable.
21. Me gusta la carne ...... fuego lento.
22. ...... ver si te haces bien el nudo de la corbata.
23. No tiene trabajo fijo, anda ...... lo que salga.
24. Habló de la situación ...... el Oriente Medio; ...... renglón seguido puso unas diapositivas.
25. Está empeñado ...... llevarnos la contraria siempre que abrimos la boca.

**153. Colóquese la preposición DE o DESDE en las siguientes frases. Algunos casos admiten las dos soluciones**

1. ...... aquí se domina todo el valle.
2. Han llegado ...... Grecia hace sólo dos días.
3. Me lo envías ...... Barcelona por correo.
4. ...... esto se deduce que no sabe una palabra.
5. Ha vivido en Nueva York ...... que tenía seis años.
6. ...... mi casa a la tuya hay más de 5 kilómetros.
7. Lo conozco ...... toda la vida.
8. Las tiendas están cerradas ...... una y media a cuatro.
9. Los invitados empezaron a llegar ...... las ocho en adelante.
10. ¿Qué te ha ocurrido?, has cambiado mucho ...... la última vez que te vi.
11. La biblioteca está abierta ...... las siete hasta las diez de la noche.
12. Seguimos frecuentando su casa ...... el día en que nos conocimos.
13. Viene ...... familia de médicos.
14. El tren correo, procedente ...... Andalucía, hará su entrada a las 9.
15. Tiene un acento muy castizo; es ...... Madrid.
16. Procede ...... abuelos irlandeses.
17. Viene ...... (El) Japón, haciendo escalada en todos los puertos importantes.
18. ...... que estoy aquí no le he visto abrir la boca.
19. Estamos sentados en este banco ...... las cuatro.
20. ¿...... cuándo le conoce Vd.?

**154. Fórmense frases con las siguientes expresiones**

1. De un salto.
2. De balde.
3. De pronto.
4. De una vez.
5. De primera.
6. De un trago.
7. De golpe.
8. De perilla.
9. Por lo pronto.
10. Por lo general.
11. Por añadidura.
12. Por lo visto.
13. Por separado.
14. Por fuera.
15. Por ahora.
16. Por fin.

## 155. Exprese con el verbo adecuado las siguientes ideas

1. Quitar la suciedad:
2. Quitar la tapa de un recipiente:
3. Limpiar el suelo con una escoba:
4. Poner adornos:
5. Decir mentiras:
6. Irse a la cama:
7. Quitarse la ropa:
8. Limpiar con el cepillo:
9. Pasarlo bien:
10. Ponerse malo:
11. Ponerse mejor:
12. Ponerse peor:
13. Dar valor a algo:
14. Quitar valor a algo:
15. Escribir a máquina:
16. Dar golpes:


## 156. Usense las palabras de la columna de la derecha en las siguientes frases

1. El pintor se hizo su ......                                   autógrafo
2. Fue a Bruselas en ......                                      autostop
3. Aprendió por sí mismo todo lo que sabe; es    autocrítica
   un ......
4. El torero firmó muchos ...... a sus admiradores.   autopista
5. Esta es una ...... de peaje.                             autodidacta
6. Los viajeros se bajaron del ......                      autocar
7. Hay un ...... en la esquina donde venden de todo.   autoescuela
8. Aprendió a conducir en una ......                   autoservicio
9. El novelista se hizo una ...... objetiva.           autorretrato
10. Como nadie le elogia, él se hace su ...... particular.   autobombo

143

# Apuntes de clase

### 157. Colóquese la preposición necesaria en las frases siguientes

1. Este problema es fácil ...... solucionar.
2. Este tema es muy difícil ...... explicar.
3. Está harto ...... comer lo mismo todos los días.
4. Eramos partidarios ...... cortar por lo sano.
5. Este chisme también es útil ...... trinchar la carne.
6. Estamos seguros ...... verle mañana sin falta.
7. Estoy decidido ...... correr ese riesgo.
8. Están dispuestos ...... aceptar sus sugerencias.
9. Es un tipo bastante duro ...... pelar.
10. Ya estoy listo ...... salir.

### 158. Colóquese una preposición adecuada en los siguientes ejemplos

1. Sueño ...... mi novia todas las noches.
2. Llegó ...... la oficina muy tarde.
3. Insisto ...... lo que te he dicho antes.
4. Este aparato consta ...... tres piezas.
5. El secreto consiste ...... anticiparse a nuestros competidores.
6. Siempre está murmurando ...... todo el mundo.
7. Se aprovechó ...... las circunstancias para medrar.
8. El borracho se apoyó ...... un farol.
9. Se dio ...... la bebida.
10. Se enfadó ...... su cuñada.
11. Piensa ...... lo que te dije.
12. No me acordaba ...... su dirección.
13. Se separó ...... su socio.
14. Hay que enfrentarse ...... la situación cuanto antes.

15. Al entrar la señora se puso ...... pie.
16. Se sentó ...... el sillón.
17. Los incitó ...... la rebelión.
18. No dejes ...... llamarme.
19. Nos metimos ...... un lío.
20. Sacó dinero ...... (el) banco.

## 159. Complétense las siguientes frases con las palabras ANTES DE, ANTE o DELANTE DE

1. ...... tales argumentos no tuvo más remedio que rendirse.
2. ...... esa casa hay un quiosco de periódicos.
3. ...... hablar con ese señor, hable primero conmigo.
4. Le resulta un poco violento fumar ...... su padre.
5. ...... nosotros se extendía un panorama desolador.
6. ...... ir al teatro, conviene que reserves las entradas.
7. ¡No se cuele, por favor! ¡Estoy ...... Vd.!
8. ...... que nos lo explicase ya sabíamos de qué se trataba.
9. Hay que hacer esto, ...... todo.

## 160. Complétense las siguientes frases con una de estas palabras: A, PARA, HACIA, CON, SIN, CONTRA. Algunas frases admiten más de una solución

1. Vente ...... casa a ver la televisión. Retransmiten un partido.
2. Han salido ...... Valencia hace dos días. No sé si habrán llegado.
3. ¿Y ...... esto hemos pasado tantos sacrificios?
4. ...... mi secretaria estoy perdido, no puedo prescindir de ella.
5. ...... todo pronóstico, ha perdido el Madrid ...... el Gijón.
6. ...... tanto discutir se nos está olvidando lo más importante.
7. Estoy ...... Vd.; no tiene que darme más explicaciones.
8. Me ha pisado el pie. Perdón, ha sido ...... querer.
9. Se pasa el día despotricando ...... todo bicho viviente.
10. No se apoye Vd. ...... esa valla, puede caerse.
11. Tiene la manía de llevar la contraria ...... todo el mundo.
12. ¿Está Vd. en ......, o a favor del régimen?
13. Llegaron ...... las dos de la tarde, cuando ya habíamos comido.
14. Córrase un poco ...... la izquierda.
15. Me vi metido en el lío ...... comerlo ni beberlo.
16. Se quedó ...... mi dirección y teléfono.

**161. Dígase cuáles son los adjetivos correspondientes a los siguientes sustantivos**

1. Otoño.
2. Norte.
3. Tierra.
4. Demonio.
5. Invierno.
6. Policía.
7. Valor.
8. Sátira.
9. Burla.
10. Simpatía.
11. Garantía.
12. Finura.
13. Elocuencia.
14. Persona.
15. Teoría.
16. Año.
17. Sensatez.
18. Verano.
19. Primavera.
20. Deporte.
21. Temor.
22. Sensibilidad.
23. Comodidad.
24. Crítica.
25. Pereza.
26. Sutileza.
27. Profeta.
28. Individuo.
29. Monarquía.
30. Práctica.

**Apuntes de clase**

# SEGUNDO CICLO

### 162. Póngase una forma correcta del verbo SER o ESTAR en los siguientes ejemplos

1. (Tú) ...... loco, ¡hombre!
2. No ...... cierto que les hayamos abandonado.
3. Ramiro ...... el que más vale de todos los hermanos.
4. El partido ...... de una emoción indescriptible.
5. La violenta reacción de los oyentes ...... totalmente inesperada.
6. (Yo) ...... seguro de que se lo dije.
7. Estas revistas ...... pasadas de moda.
8. Este cuadro ...... hecho al aire libre.
9. Deja al chico en paz; ...... entretenido con sus juguetes.
10. ...... admirable lo bien ilustrado que ...... este manuscrito.
11. Le ...... muy reconocido por los muchos favores que he recibido de Vd.
12. ...... un pueblo sombrío y triste.
13. Vd. ...... libre de hacer lo que quiera.
14. (El) ...... preocupado con la enfermedad de su madre.
15. (El) ...... demasiado tonto para ...... perplejo.
16. Su expediente ...... pendiente de revisión.
17. Ese televisor ...... anticuado.
18. Ya sé que (ellos) ...... enamorados.

### 163. Colóquese una forma correcta de los verbos SER o ESTAR en las siguientes frases

1. ¡Chica, (tú) ...... de un guapo que asusta!
2. No ...... recomendable tomar esas medidas.
3. ...... visto que los precios siguen subiendo.
4. Mi amigo y yo ...... un poco enemistados estos días.
5. Hoy ...... domingo; las tiendas ...... cerradas.

6. (Nosotros) ...... siete para la cena.
7. Bueno, ¡ya ...... bien de trabajo!
8. Por ahí ...... por donde debieran comenzar.
9. ¿...... (tú) con lo que digo?
10. ...... en Buenos Aires donde se celebra el Congreso.
11. ¿...... (tú) con nosotros, o en contra?
12. Esta chaqueta me ...... muy grande.
13. ¡No ...... (tú) en lo que haces! ; ¡pon atención!
14. ¡Para bromas ...... yo hoy!
15. (El) se ...... quedando como un fideo de tanto ejercicio.
16. Tu niña ...... hecha una mujercita.
17. (Yo) no ...... de acuerdo con Vd.

### 164. Póngase una forma correcta del verbo SER o ESTAR en los siguientes ejemplos

1. Creo que (ellos) ...... de nuestra parte.
2. (Nosotros) ...... en un aprieto tremendo.
3. Lo que nos ocurrió ...... una experiencia inolvidable.
4. (El) ...... que muerde.
5. Las calles ...... en una situación lamentable.
6. Rodolfo ...... el preferido de su madre.
7. ¡Qué viejo ...... (él)! Creo que no le hubiera reconocido.
8. Dentro de unos días ...... la boda.
9. ¡...... un día bárbaro!
10. La carta le ...... devuelta sin abrir.
11. No me ...... desconocida esa cara.
12. Lamento mucho que ...... prohibido fumar.

### 165. Usense las siguientes palabras derivadas en frases de manera que se vea claramente su significado

| | | |
|---|---|---|
| 1. Cañonazo. | 9. Palillo. | 17. Trompazo. |
| 2. Matón. | 10. Folletín. | 18. Bofetada. |
| 3. Empollón. | 11. Mesón. | 19. Balonazo. |
| 4. Puñetazo. | 12. Patilla. | 20. Guantazo. |
| 5. Cochinillo. | 13. Fichero. | 21. Punterazo. |
| 6. Cajetilla. | 14. Papeleta. | 22. Tomatazo. |
| 7. Comidilla. | 15. Patada. | 23. Bolazo. |
| 8. Salón. | 16. Pelotazo. | |

**166. Póngase una forma correcta del verbo ESTAR, SER o HABER en las siguientes frases**

1. ...... unas treinta personas en la fiesta, ayer.
2. ...... un nuevo tipo de dentífrico en el mercado.
3. ...... un tablero de ajedrez encima de la cama. ¿Quién ha estado jugando?
4. ...... ella la que tiene la culpa.
5. Los jugadores suplentes ...... en la banda del campo, durante el partido.
6. Ahí ...... un señor que pregunta por ti.
7. Ahí ...... los decoradores que llamamos ayer.
8. Contando al conductor, ...... 22 en el autocar.
9. En este texto ...... un término que no entiendo.
10. En aquella escaramuza ...... varios lesionados.

**167. Ponga una forma correcta de los verbos SER o ESTAR en las siguientes frases**

1. (Él) ...... avergonzado y por eso no dio la cara.
2. ...... sabido que ya no hay héroes ni santos.
3. A las seis de la mañana, ya (yo) ...... levantado todos los días.
4. (Él) ...... admirado hasta por sus enemigos.
5. (Ella) ...... destrozada moralmente porque todo le salía mal.
6. Aquella familia ...... muy querida en todo el barrio.
7. Ya ...... encendidas todas las luces de la casa otra vez.
8. El partido entre el Bilbao y el Sevilla ...... muy disputado.
9. En esta sala del hospital ...... recluidos los pacientes graves.
10. La carrera ciclista ...... suspendida por la lluvia.

## 168. Utilice los verbos SER o ESTAR en las siguientes comparaciones, según lo exija el contexto

1. Acabo de ducharme y ...... más fresco que una lechuga.
2. Como han dejado de enviarle dinero, él ...... más pobre que una rata.
3. Eso ...... más viejo que andar a pie.
4. Tu suegro ...... más loco que una cabra.
5. ¿Te acuerdas de Julio? Sí, ...... más astuto que un zorro.
6. Él ...... más contento que un niño con zapatos nuevos.
7. Ese niño ...... más vivo que una ardilla.
8. Ha llegado su novio y (ella) ...... más alegre que unas castañuelas.
9. Esto ...... más claro que el agua.
10. Él ...... más feo que Picio.
11. ...... más lento que una tortuga, ¡muévete!
12. Maruja ...... más terca que una mula.

## 169. Utilícense las expresiones exclamativas que van en cursiva en frases parecidas

1. ¡*Caramba* con el señorito éste!
2. ¡*Chico,* qué mujer!
3. ¡Pero *hombre*! ¿Cómo tú por aquí?
4. ¡*Ahí va,* se me ha olvidado llamarle!
5. ¡*Toma,* si resulta que está aquí Alfredo!
6. ¡*Arrea,* qué trastazo se ha dado ese coche!
7. ¡*Vaya*! Conque espiando, ¿eh?
8. ¡*Mira* que es pesado este hombre!
9. ¡*Hay que* ver cómo vive la gente!
10. ¿Te has enterado de que Sofía se ha casado? ¡*Cómo*!
11. ¡*Mi madre*! ¡Qué cara más dura tiene!
12. ¡*Jesús,* qué animal, casi lo mata!
13. ¡*Andá,* si me he dejado las llaves dentro de casa!
14. ¡*Hija,* qué cosas dices!
15. ¡*Olé* la gracia de las madrileñas!
16. ¡*Viva* la alegría y el buen vino!

## 170. Complétense las siguientes frases con una preposición y un infinitivo

1. Se enorgullece ...................................
2. No te vanaglories ...............................
3. No vuelvas ........................................
4. Acostumbra .......................................
5. Accedí ..............................................
6. He aprendido ....................................
7. Hay que arriesgarse ...........................
8. Se apresuró .......................................
9. Aspiro ..............................................
10. Basta ...............................................
11. No cesa .............................................
12. No te comprometas ...........................
13. No confío ..........................................
14. Todo consiste ....................................

## 171. Fórmense frases con los siguientes vocablos, expresando claramente la diferencia de significado

1. Ciudad - cuidad.
2. Marino - marinero.
3. Camino - carretera.
4. Camisa - camiseta.
5. Linterna - lámpara.
6. Cuello - pescuezo.
7. Pata - pierna.
8. Seso - cerebro.

*[Handwritten notes at top:]*
AYER - 80% con indefinido
Ayer, <u>hacía</u> buen tiempo
① Andar + Gerundio — más coloquial.
= Estar + Gerundio

**172. Cámbiense las siguientes oraciones al pasado utilizando la forma del indefinido o imperfecto que mejor se adapte al contexto**

1. Hoy hace buen tiempo.
   Ayer *hacía buen tiempo* ✓
2. Ahora tienes mucha prisa.
   Antes *tenías mucha prisa* ✓
3. En este momento viven en Alemania.
   En aquel momento *(vivieron) vivían* ✓
4. Hoy está lloviendo todo el día.
   Ayer *llovía todo el día* *ESTUVO LLOVIENDO*
5. Esta noche comemos en Segovia.
   Aquella noche *comimos en Segovia* ✓
6. La semana entrante me voy de vacaciones.
   La semana pasada *me fui de vacaciones* ✓
7. El año que viene le subirán el sueldo.
   El año pasado *le subieron el sueldo* ✓
8. En 1986 acabará la crisis económica.
   En 1966 *acabó* la crisis económica. ✓
9. A las ocho de la mañana desayuno.
   A las ocho de la mañana *desayuné todos* los días. ✓
10. Este año ando viajando por América.
    El año pasado *viajé por América.* *Viajé*
11. Hoy están en Praga.
    Hace tres años *estuvieron en Praga. estuvieron*
12. Acabo de tropezarme con Raquel.
    *Me tropecé con Raquel.* *Acababa*
    *[margin: más difícil]*
13. Llevan arreglando el jardín más de seis horas.
    *Llevaban arreglando el jardín más de seis horas.*
14. Hasta ahora tengo revisadas cinco facturas.
    Hasta entonces *tenía revisadas cinco facturas.* *TENÍA*

*[Handwritten notes at bottom:]*
ACABAR DE + INFIN. →
LLEVAR + GERUNDIO → En pasado necesito
TENER + PARTICIPIO → otra frase y otro verbo de ayuda
PERÍFRASIS

### 173. Ponga los verbos entre paréntesis en la forma correcta del imperfecto o del indefinido, según exija el contexto

Mi abuela (tener) *tenía* el pelo blanco, que, a veces, le (caer) *caía* sobre la frente y le (dar) *daba* cierto aspecto de mujer rebelde a pesar de su edad. Ella (llevar) *llevaba* casi siempre, cuando (estar) *estaba* en casa, una *bata* negra y unas zapatillas largas y puntiagudas, regalo, creo, de un hermano suyo que (tomar) *tomó* parte en la guerra de Africa.

(Ella soler) *solía* arrastrar los pies por el pasillo de una forma que, a mí, por no sé qué extraña asociación de ideas, me (recordar) *recordaba* el flujo y reflujo de la mar en una tarde apacible de principios de otoño.

Nunca (tener) *tuvo* la pobre mujer grandes alegrías en la vida; ella (dar) *dio* a luz catorce hijos, (sufrir) *sufrió* hambre y penalidades y, cuando los hijos (hacerse) *se hicieron* mozos y (casarse) *se casaron*, y (ella haber) *había* podido descansar un poco, se le (morir) *murió* el marido, también en una tarde apacible del otoño cuando las olas, mansamente, (arrastrarse) *se* hacia la playa. *arrastraban*

Jamás (ella perder) *perdió* a pesar de todo, la vitalidad y el optimismo que la (caracterizar) *caracterizaba*, y aún hoy la veo callada y animosa como lo que (ella ser) *era* una vieja roca gastada, pero todavía resistente, ante el mar que la (ver) *vio* nacer, y que la vería morir.

### 174. Pónganse los verbos en cursiva en un tiempo conveniente del pasado

1. Cuando llegó, ya (nosotros) *comer* habíamos comido.
2. Al dar las notas me di cuenta de que (yo) *cometer* ... algunas injusticias. había cometido
3. Cuando los conocimos, ya (ellos) *estar* estaban en España.
4. Fui a comprar la chaqueta que me gustaba, pero ya (ellos) la *vender* habían vendido.
5. En el momento de presentármelo, me di cuenta de que (yo) lo *ver* vi ... antes.
6. Al verla llorar, pensé que (ella) *discutir* había discutido con su madre.
7. Cuando embarcamos para Cuba, ya *estallar* había estallado la guerra.
8. Al empezar nosotros el primer plato, ya (ellos) *llegar* ...... a los postres. habían llegado

## 175. Explique el sentido de las siguientes expresiones

1. Nunca da la cara.
2. Prefiero los huevos pasados por agua.
3. He decidido no hablarle porque me cae muy gordo.
4. Se le escapó por los pelos.
5. Se lo creyó a pies juntillas.
6. Este cuadro me costó un ojo de la cara.

**Apuntes de clase**

### 176. Táchense las formas verbales entre paréntesis que se consideren incorrectas

Todas las tardes se (reunían, reunieron, habían reunido) en el casino del pueblo el cura, el juez, el boticario y el administrador de Correos. (Jugaban, jugaron, habían jugado) una partida de dominó, lo cual era costumbre en ellos desde (hacía, hizo, había hecho) muchos años. La tarde a la que nos referimos, el cura (llegaba, llegó, había llegado) visiblemente alterado; todos los contertulios le (habían preguntado, preguntaban, preguntaron) qué pasaba. Y con voz y semblante graves, el párroco (contaba, contó, había contado) que (robaron, robaban, habían robado) un cepillo de limosnas de la iglesia. (Decía, dijo, había dicho) que ya (había comunicado, comunicó, comunicaba) el hurto a la guardia civil, que (prometió, prometía, había prometido) tomar medidas pertinentes para atrapar al caco. Sus interlocutores (quedaban, habían quedado, quedaron) muy afectados por el suceso y (ofrecían, ofrecieron, habían ofrecido) generosamente reunir una cantidad de su propio bolsillo si no se (recuperó, había recuperado, recuperaba) el dinero desaparecido.

### 177. Sustituya las palabras en cursiva por un tiempo del verbo, conservando el matiz aproximativo

1. *Seguramente era* muy viejo.
2. *Hay unos* cinco millones de personas en Madrid.
3. Ayer *corrimos alrededor de* tres kilómetros.
4. Esa calle *está aproximadamente* a tres manzanas de aquí.
5. *Fumo* treinta pitillos al día *más o menos.*
6. Le *vi* por la Puerta del Sol *a eso de* las siete de la tarde.
7. *Seguramente lo sabe,* pero no quiere decírtelo.

8. *Va* al teatro *unas* dos o tres veces al mes.
9. Con ese régimen *ha adelgazado* diez kilos *aproximadamente*.
10. *Había recorrido más o menos* las tres cuartas partes de Africa.

**178. Ponga los verbos entre paréntesis en un tiempo verbal que exprese probabilidad en el presente, pasado o futuro, según convenga al sentido de cada frase**

1. ¿Qué (pensar) ...... la mujer de los extraños viajes de su marido?
2. ¿Por qué no (él) (haber) ...... asistido a clase esta mañana?
3. ¿Qué le (estar) ...... diciendo al oído?
4. ¿Cómo se las (haber) ...... arreglado sin muchacha?
5. Vive a lo grande, ¿(él haber) ...... ganado las quinielas?
6. ¿Con quién (ella salir) ...... últimamente?
7. ¿Desde dónde (ellos haber) ...... enviado esta postal?
8. ¿Hasta qué punto (ellos creerse) ...... lo que dicen?
9. ¿Para qué (vosotros meterse) ...... en ese asunto?
10. ¡Cuándo (él acabar) ...... la carrera!

**179. Explíquense las diferencias entre las siguientes frases**

1. Le llevé el maletín a la oficina.
   Le traje el maletín a la oficina.
2. A pesar de haberles prestado el dinero, no le llevaron ni el más mísero regalo.
   A pesar de haberles prestado el dinero, no les trajeron ni el más mísero regalo.
3. Salimos de casa al anochecer.
   Nos fuimos de casa al anochecer.
4. ¡Espere usted! Salgo dentro de unos segundos.
   ¡Espere usted! Me voy dentro de unos segundos.
5. Salimos de España dos veces al año.
   Me voy de España.

6

**180. Pónganse los verbos en cursiva en la correspondiente persona del presente o imperfecto de subjuntivo**

1. Dudo que *valer* la pena molestarse por eso.
2. Se molestó de que nos *reír*.
3. Tengo ganas de que tú *oír* esta canción.
4. ¡Ah, si yo *tener* esa suerte!
5. No me importa en absoluto que él *haber* ganado varios premios.
6. Te he regalado el collar para que lo *lucir*.
7. Si (tú) *traer* unas botellas, lo pasaríamos en grande.
8. Lo que te deseo es que no *envejecer* nunca.
9. Aunque (nosotros) no *saber* dónde está, carece de importancia.
10. Lo que (yo) quiero es que (tú) *cocer* más los garbanzos.
11. Devolvió el vaso para que lo *fregar* otra vez.
12. Haremos una reunión para que (tú) *conocer* a mis amistades.
13. ¡No *deshacer* usted la maleta todavía!
14. Quiero que (tú) *producir* buen efecto.
15. Me metería más de lleno en ese negocio si *producir* más ganancias.
16. Si *llover* más se estropearía la cosecha.
17. Me maravilla que a usted no *caberle* esa falda. No está tan gruesa.
18. Le sacudí, no fuera que él *dormirse* de nuevo.
19. Nos entregaron las cintas de modo que *destruirlas*.

**181. Transfórmense las siguientes frases según el modelo: Recibimos su carta después de que viniera = Recibimos su carta después de venir. Cambie el orden sintáctico cuando sea necesario**

1. ¿Me permited Vd. *que utilice* su teléfono?
2. Después de *que cogiera* el avión, vimos aquí su maleta.
3. Siempre nos dejaba *que hiciéramos* lo que queríamos.

4. En caso de *que* el pescado *no esté* fresco, compra carne.
5. La avería del coche les impidió *que llegaran* a tiempo.
6. Con tal de *que* la calidad *sea* buena, no te importe el precio.
7. Le ordenaron al portero *que limpiara* el portal mejor.
8. Les alquilo la casa, a condición de *que paguen* por adelantado.
9. Hizo *que subieran* los baúles hasta el tercer piso.
10. En las calles céntricas, el Ayuntamiento prohíbe *que aparquen* los coches en batería.

**182. Ponga el verbo entre paréntesis en la forma correcta de subjuntivo o de indicativo, según exija el contexto**

1. Lo hago porque (gustarme) ......, no porque me obliguen.
2. No lo hago porque (gustarme) ......, sino porque me obligan.
3. No está tan preparado que (él poder) ...... aprobar esa oposición.
4. Están tan contentos que (ellos dar) ...... saltos de alegría.
5. No es tan atractivo que todas las mujeres (estar) ...... locas por él.
6. Pedro no comió, porque (llegar) ...... tarde.
7. Pedro no comió porque (llegar) ...... tarde, sino porque no tenía hambre.
8. No lo digo por cumplir, sino porque (yo sentirlo) ......
9. ¡No le busques las cosquillas que te (él pegar) ......!
10. ¡Corre, corre, que se te (escapar) ...... el autobús!
11. ¡Cuidado, que (calarse) ...... el coche!
12. ¡Acelera más, que se te (calar) ...... el coche!
13. ¡Abre el paraguas, que (llover) ......!
14. ¡Te digo que no (yo volver) ...... a su casa aunque me lo pida de rodillas!

**183. De acuerdo con la estructura de la frase modelo** (Venga **quien** venga, **no le deje pasar**) **termine las siguientes frases con los verbos entre paréntesis**

1. Tendrá que hacerlo, (querer) ...... o no ......
2. (Ser) ...... cuando ......, acabará por darnos la razón.
3. Tú siempre estarás guapa, (vestirse) ...... como ......
4. Tiene tanto sentido comercial que, (él hacer) ...... lo que ......, todo le produce dinero.
5. (El ir) ...... donde ......, no escaparía de la justicia.
6. Le aconsejé que no contestara a ninguna llamada, (ser) ...... quien ......

7. Estoy decidido a tomarme unas vacaciones, (pasar) ...... lo que ......
8. Lo (Vd. creer) ...... o no lo ......, la verdad es que sucedió así.
9. No le importe tirar la ceniza, (caer) ...... donde ......
10. Hay toreros que (torear) ...... como ......, siempre entusiasman al público.
11. Voy a tirar de la manta, (caer) ...... quien ......

**184. Lea e identifique los anglicismos de la columna de la izquierda con palabras españolas de la columna de la derecha**

| | |
|---|---|
| Parking | Trauma |
| Chequeo | Marca |
| Record | Parada (alto) |
| Night Club | Sala de fiestas |
| Round | Asalto |
| Stop | Pelea |
| Match | Cuadrilátero |
| Marketing | Aparcamiento |
| Shock | Estudio de mercados |
| Ring | Reconocimiento médico |
| Reportero | Periodista |

**185. Explíquese el sentido de las siguientes expresiones y modismos**

1. Se las da de inteligente.
2. Maté dos pájaros de un tiro.
3. Todo nos salió mal, no dimos pie con bola.
4. Deberías hacerlo, sobre la marcha.
5. No te andes por las ramas, vete al grano.
6. Se las arreglará solo, se las sabe todas.

**Apuntes de clase**

**186. Sustitúyase la estructura en cursiva por otra de igual sentido con la partícula SI**

1. *De haberlo sabido* (yo) ......, habría acudido antes.
2. *Con que saques* ...... las entradas pasado mañana, será suficiente.
3. *Cuando prometa usted* ...... algo, cúmplalo.
4. *Trabajando* ...... mejor el personal actual, no se necesitarían más empleados.
5. *Cuando te decidas* (tú) ......, estoy a tu disposición.
6. *De haber favorecido* ...... el tiempo, los árboles estarían más altos.
7. *Con una tarta que les regales* ......, cumples.
8. *Hipotecando* (tú) ...... la finca, no sales del apuro.
9. *Yo, en su (de Vd.)* ...... lugar, no me esforzaría tanto.
10. *Yo, en su caso (de ellos)* ......, compraría más terreno.
11. *Como no respete* (él) ...... el contrato, lo llevamos a los tribunales.
12. *De no haber* ...... intervenido el tonto de su hermano, seguiríamos tan amigos.
13. *Como pasen* (ellos) ...... por aquí, les voy a cantar las cuarenta.
14. *Nosotros, en su situación* (de Vd.) ......, habríamos llegado hasta el final.
15. *Cuando pases* ...... por Oviedo, me llamas.
16. *Con quejarte* ......, adelantarás menos.
17. *De haberla conocido* antes, me hubiera casado con ella.
18. *Cuando no sepa* Vd. qué decir, cállese.

**187. Sustitúyase la estructura en cursiva por otra de igual sentido**

1. *Si hubieras llegado* antes, lo habrías visto.
2. *Si no puede Vd. mantener* la boca cerrada, márchese.
3. *Si yo hubiera estado* en su situación, habría llamado a la policía.

4. *Si se limitara a responder* escuetamente a lo que le preguntan, no metería la pata.
5. El médico le dijo que *si probaba* una gota más de alcohol, se moría.
6. El dueño le avisó que *si no pagaba* el recibo, le cortarían el gas.
7. *Si llegas* tarde otra vez, no te dejo salir en todo el mes.
8. *Si hubiera sabido* el parte meteorológico con anterioridad, no hubiera salido de viaje.

## 188. Explique la diferencia de significado entre los siguientes pares de frases

1. Estoy seguro de que hará lo que *dices*.
   Estoy seguro de que hará lo que *digas*.
2. Iré donde *quieres*.
   Iré donde *quieras*.
3. Los que *quieren* ir a la excursión, que levanten la mano.
   Los que *quieran* ir a la excursión, que levanten la mano.
4. Nos interesa emplear al técnico que *conoce* mejor este campo.
   Nos interesa emplear al técnico que *conozca* mejor este campo.
5. ¿Ha visto Vd. a alguien que *habla* inglés por aquí?
   ¿Ha visto Vd. a alguien que *hable* inglés por aquí?
6. ¿Hay quién *da* más?
   ¿Hay quién *dé* más?
7. No puedo fiarme del primero que *llegue*.
   No puedo fiarme del primero que *llega*.
8. Dice cuanto se le *antoja*.
   Dirá cuanto se le *antoje*.
9. Todo lo que *comenta* es cierto.
   Todo lo que *comente* será cierto.
10. Ninguna de las que *vienen* habla idiomas.
    Ninguna de las que *vengan* habla idiomas.
11. Raro es el ser humano que no *ha* cometido una equivocación.
    Raro es el ser humano que no *haya* cometido una equivocación.

## 189. Díganse los adjetivos de significación contraria

1. Ese hombre es muy *trabajador*.
2. Es una calle de dirección *doble*.
3. Es un chiste *gracioso*.
4. Es un soldado *valiente*.
5. Siempre habla de casos *particulares*.

6. Es un chico muy *callado*.
7. El fuego está *encendido*.
8. El trabajo está bastante *adelantado*.
9. Tienen el jardín muy *cuidado*.
10. Esa solución es *inadecuada*.

### 190. Díganse los verbos correspondientes a los siguientes sustantivos

| | |
|---|---|
| 1. Mordisco. | 14. Seguro. |
| 2. Deliberación. | 15. Burla. |
| 3. Repercusión. | 16. Dolor. |
| 4. Persuasión. | 17. Cojera. |
| 5. Intromisión. | 18. Compromiso. |
| 6. Inciso. | 19. Inclusión. |
| 7. Razón. | 20. Argumento. |
| 8. Discusión. | 21. Fusil. |
| 9. Predominio. | 22. Baraja. |
| 10. Choque. | 23. Escalón. |
| 11. Tierra. | 24. Archivo. |
| 12. Cadena. | 25. Balsa. |
| 13. Tono. | 26. Montón. |

# Apuntes de clase

**191. Sustitúyase la parte en cursiva por otra estructura de significado similar. Obsérvese la frase modelo: Si se divierte, que se divierta = ¡mejor para él!, ¡allá él!, etc.**

1. Si lo hace, *que lo haga;* a mí me trae sin cuidado.
2. Si anda hablando mal de mí por ahí, *que hable.*
3. Si le gusta beber, *que beba;* ya pagará las consecuencias.
4. Si no me cree, *que no me crea;* de todas formas sé que tengo razón.
5. Si critican, *que critiquen;* yo estoy convencido que obro con justicia.

**192. Táchense las formas verbales entre paréntesis que se consideren incorrectas**

Si Adelita se (habría casado, hubiera casado, casaría) con otro hombre, tal vez no (habría sido, sería, fuera) como es. No se trata de echarle la culpa de este hecho, aunque también (sería, habría sido, fuera) injusto acusar a su marido de la coquetería siempre insatisfecha de su esposa. Si Adelita (conociera, habría conocido, hubiera conocido) a un hombre que la (tratase, habría tratado, hubiera tratado) con dureza y severidad, es casi seguro que la (hubiera hecho, haría, habría hecho) cambiar por completo. (Habría dejado, dejaría, hubiera dejado) de pasarse la vida preocupándose de los trapos, de ir a la peluquería, de sus andares y, en definitiva, de toda su insignificante personilla.

### 193. Exprésense estas frases utilizando otras fórmulas de ruego o mandato que no sean los imperativos en cursiva

1. *Tráigame* la correspondencia.
2. *Ande* más aprisa.
3. ¡Camarero, *déme* una Coca Cola!
4. *Llámame* a las seis en punto.
5. *Escuche* con atención lo que voy a decirle.
6. *Abróchate* el cinturón.
7. *Que estudie,* he dicho.
8. *Pongan* cuidado.
9. *¡Que se coloquen* a la derecha!
10. *Díganme* ustedes la verdad ahora mismo.
11. *Pasa* al salón.
12. *Límpiate* esa cara; la tienes sucísima.
13. *Piensen* en lo que les he dicho, y me dan la contestación mañana.
14. *Entregad* los billetes al cobrador para que los pique.

### 194. Expresiones de ruego o mandato. Díganse utilizando la forma del imperativo tradicional

1. ¡A la calle!
2. ¡A la porra!
3. ¿Quiere usted pasarme la sal, por favor?
4. ¡Andando, que se hace tarde!
5. ¡Venga, a trabajar!
6. ¡Vamos!, hay que darse prisa.
7. ¿Me sirve usted un vaso de leche muy fría, por favor?
8. Me avisa usted cuando sea la hora.
9. ¡La cuenta, por favor!
10. ¡Usted se calla! Este asunto no le incumbe.
11. ¡Tú irás a casa de la abuela!
12. Vuestro hermano se quedará en casa.
13. ¿Tendría usted la bondad de decirme la hora que es?
14. ¡Niño, ya te estás lavando!
15. ¡Soldados, al ataque!
16. Ahora mismo te pasas por su casa y le das este recado de mi parte.

### 195. Fórmense frases con las siguientes expresiones

1. De cabo a rabo.
2. A fines de.
3. A principios de.
4. Como de costumbre.
5. La mar de.
6. De lo lindo.
7. Al fin y al cabo.
8. A continuación.
9. De repuesto.
10. En pleno día.
11. A la larga.
12. En la actualidad.
13. Por cierto.
14. Cuidado con.
15. Con razón.
16. En el fondo.
17. Por lo pronto.

### 196. Explíquese claramente la diferencia entre las siguientes palabras

1. Marco - marca.
2. Bazo - baza.
3. Anillo - anilla.
4. Rodillo - rodilla.
5. Tramo - trama.
6. Copo - copa.
7. Bolso - bolsa.
8. Cepo - cepa.
9. Gorro - gorra.

### 197. Explíquese el sentido de las siguientes expresiones con el verbo PONER

1. ¡No te pongas nervioso, hombre!
2. Me puse negro de oírle hablar así.
3. Le puso por las nubes.
4. Creo que te han puesto verde.
5. Se puso hecho una fiera.

unidad **41**

### 198. Transfórmense las siguientes frases pasivas utilizando la partícula SE

1. Los planos han sido estudiados cuidadosamente.
2. La novela había sido escrita en sólo tres meses.
3. La manifestación fue disuelta en un abrir y cerrar de ojos.
4. El programa ha sido explicado apresuradamente.
5. Este local ha sido clausurado por el jaleo de anoche.
6. Los periódicos fueron leídos aquel año con mucho interés.
7. Nos ha sido impuesta una medida absurda.
8. El problema de la relatividad ha sido expuesto de muchas maneras distintas.
9. Don Antonio es considerado como hombre de bien en toda la provincia.
10. Este edificio fue construido en sólo cinco meses.
11. El ratero será encarcelado por sus pillerías.
12. Estas naranjas habrían sido vendidas si hubiesen tenido mejor aspecto.
13. Fue multado por desobediencia a la autoridad pública.
14. El ministro será recibido con gran pompa.

### 199. Transfórmense las siguientes oraciones transitivas en impersonales con SE

1. La gente comentaba que volvería a subir el petróleo.
2. La gente lee El País en toda España.
3. Recordaban que había estado ausente durante tiempo.
4. Vieron que Elisa no era lo que parecía.
5. Comemos la carne con tenedor y cuchillo.
6. Aquí ganamos menos, pero tenemos más tiempo libre.
7. Vivimos mucho peor en los años ochenta que en los setenta.

8. En los países latinos la gente bebe más vino que en los germánicos.
9. Compramos chatarra de todas las clases.
10. Hablamos francés, inglés y alemán.
11. Alquilamos piso amueblado.
12. Aquí trabajamos, nos divertimos, y cada uno hace lo que quiere.
13. La gente rumorea que va a dimitir el presidente del Gobierno.
14. Uno agradece las buenas intenciones.


**200. Transfórmense las siguientes oraciones activas en pasivas con SE**

1. A todos nos dijeron que tuviéramos mucho cuidado.
2. Le vieron en Roma acompañado por una persona de mala reputación.
3. Le ayudamos todo lo que pudimos.
4. Les compraron un piso a cada uno y no quedaron satisfechos.
5. A mí me respetan porque tengo poder.
6. A ellas las quieren más que a vosotras.
7. A ti te admiran por ser muy popular.
8. A él no le tenemos en cuenta, porque no se da a valer.
9. A ella la desprecian porque es una aprovechada.
10. A Javier y Antonio los recordaremos toda la vida.


**201. Transfórmense las siguientes oraciones activas en medias con SE siguiendo el ejemplo: En verano las sombrillas protegen del sol a los bañistas = En verano los bañistas se protegen del sol con las sombrillas**

1. Dicen que aquí curan la gripe con coñac y leche.
2. El tabaco acaba con los pulmones.
3. El ruido aturde al público.
4. El sol y el aire secarán la ropa húmeda.
5. Este chisme arregla todas las averías.
6. El amor soluciona muchos problemas.
7. Calmamos el hambre con un buen filete y patatas fritas.
8. La fuerza de voluntad consigue lo imposible.
9. Las cuerdas vocales producen los sonidos.
10. El estómago y el intestino hacen la digestión.

## 202. Pónganse los verbos en cursiva en un tiempo y modo adecuados

Recientemente *descubrirse* unas tablas románicas en la capilla de un monasterio palentino. Dicho monasterio *fundarse* por monjes que *establecerse* en la región a mediados del siglo XI. Algunos eruditos *llegar* a la conclusión de que las pinturas *ser* hechas por los mismos monjes. También *decirse* que *ser* realizadas por maestros extranjeros que *venir* a España con las peregrinaciones jacobeas. *Ser* una lástima, de todas maneras, que no *aclararse* con certeza el origen de estas valiosas reliquias artísticas. Por otro lado, la prensa *poner* de relieve, con fotos y artículos bien documentados, no sólo el mérito de dichas obras, sino también la necesidad de que *restaurarse* y *trasladarse* a algún museo importante donde *quedar* debidamente custodiadas. Posteriormente, *ser* expuestas al público.

## 203. Háganse frases con los siguientes verbos estableciendo claramente su diferencia de significados

1. Sonar - sonarse.
2. Mojar - mojarse.
3. Gastar - gastarse.
4. Despedir - despedirse.
5. Volver - volverse.
6. Declarar - declararse.
7. Borrar - borrarse.
8. Empeñar - empeñarse.
9. Creer - creerse.
10. Tratar - tratarse de.
11. Comprometer - comprometerse.

## 204. Explique el sentido de las siguientes expresiones

1. ¡No te metas donde no hagas pie; es peligroso!
2. Me miró de reojo.
3. Mi padre tiene mucha mano en la Telefónica.
4. Ese caballerito es un caradura.
5. La merluza es un pez de agua salada; la trucha, de agua dulce.
6. ¡A ver si me toca el gordo este año!

# Apuntes de clase

### 205. Colóquese el verbo en cursiva en infinitivo, gerundio o participio, según convenga

1. Se hinchó a *decir* ...... barbaridades.
2. Lleva *curar* ... a más de treinta enfermos.
3. Me imagino que acabará de *levantarse* ...... ahora.
4. Acabó *emigrar* ...... a los Estados Unidos.
5. Llevo *veranear* ...... en Alicante cinco años.
6. Se lo tengo *decir* ...... muchas veces.
7. Acabará por *quitarse* ...... la vida.
8. Sigue *nevar* ......; esto no va a *acabar* ...... nunca.
9. Echó a *correr* ...... en cuanto me vio.
10. Fueron *salir* ...... poco a poco.
11. En cuanto deje de *fumar* ......, engordará.
12. Se ha *volver* ...... a *casar* ...... recientemente.
13. Cuando ya tenía *vender* ...... la parcela, le salió un comprador mejor.
14. Sigue *retirar* ...... de la vida social.
15. Los tiene *fascinar* ...... con sus aventuras.
16. Ultimamente la Prensa viene *criticar* ...... mucho al Gobierno.

### 206. Pónganse los verbos en cursiva en gerundio o participio, o déjense en infinitivo, según convenga

1. Incluso llegué a *decirle* algunos tacos.
2. Tenemos *entender* que no han visto Vds. Toledo. ¿Es verdad?
3. He de *consultarlo* con la almohada antes de decidirme.
4. Acabamos de *señalar* los pros y los contras de la aventura.
5. Anda *contar* a todo el mundo cosas que debiera callarse.
6. Pasamos a *ver* el capítulo siguiente.
7. Le tengo *decir* que no moleste a los clientes.

181

8. No alcancé a *comprender* el sentido de su pregunta.
9. Sigue *buscar* empleo, pero no encuentra ninguno que le vaya bien.
10. Vengo *insistir* en este asunto desde hace ya mucho tiempo.

## 207. Dése sentido a las siguientes frases transformando los infinitivos que sean necesarios

1. No vivo muy bien, pero *ir tirar*.
2. (Ellos) *tener* que *esperar* más de media hora todos los días.
3. (El) *dar* por *terminar* la discusión.
4. (Ella) *echarse* a *reír* sin que viniera a cuento.
5. El alquiler de este piso *venir* a *costar* unas 70.000 ptas.
6. (El) ya *tener ver* cinco coches cuando por fin se decidió por el primero.
7. (Yo) *llevar escribir* 20 folios de la novela y no se me ocurría una idea más.
8. Juan *seguir ser* un impertinente; no ha cambiado nada.
9. *Haber* que *decidir* en este instante lo que (nosotros) *deber hacer.*

## 208. Sustitúyanse las estructuras verbales subrayadas por una perífrasis verbal equivalente

1. Los médicos no *conseguían diagnosticar* la enfermedad del pequeño y la madre estaba como loca.
2. No desespere usted: *tiene que llegar* el día en que todo se solucione.
3. Si queremos ahorrar dinero *será necesario trabajar* mucho.
4. Ultimamente, Juan sólo *piensa en jugar* al tenis.
5. *Nos pusimos de acuerdo en guardar* el secreto.
6. La situación política en Alemania *mejora día a día.*
7. Problemas de estas características *aparecen desde hace algún tiempo* en los países desarrollados.
8. *¿Aún estudiáis* en la Facultad? Creí que ya habíais terminado.
9. Es un guasón, siempre *está burlándose* de todo el mundo.
10. Cuando menos lo esperábamos, *dijo de buenas a primeras* que estaba harto de estar allí.
11. Eres muy terco, pero yo sé que *al final me darás la razón.*
12. *Hacía más de una hora* que estábamos sentados en la sala de espera cuando, por fin, llegó el tren.
13. Menos mal que *ya he preparado* las lecciones para mañana.
14. Las últimas declaraciones del jefe del Gobierno *preocupan mucho* a la opinión pública.

15. Todo esto *será corroborado palabra por palabra* cuando venga el doctor Bermúdez, jefe de nuestro laboratorio central.
16. La juventud actual *va vestida a veces* de una manera extravagante.
17. ¿Cuánto *tiempo hace que me espera? Estoy esperándole* desde hace media hora.

### 209. Explique el sentido de las siguientes expresiones

1. Siempre le están dando coba.
2. No tiene un pelo de tonto.
3. ¿Qué hay de bueno, amigo?
4. Fuimos a pie.
5. No pegué ojo en toda la noche.
6. ¿Tienes un lápiz a mano?

**210.** Use alguno de los verbos de cambio (hacerse, volverse, quedarse, ponerse, llegar a ser, convertirse en) que considere Vd. más apropiado en las siguientes frases. Algunos casos admiten más de una solución

1. (El) ...... rico con las quinielas.
2. La electricidad ...... en la primera fuente de energía en el mundo moderno.
3. Si no te pones una rebeca, ...... helada.
4. Con este viaje a Londres, (él) ...... muy inglés.
5. Richard Nixon ...... presidente después de muchos fracasos.
6. (El) ...... pálido cuando le pidieron la documentación.
7. Maribel está desconocida; ...... una mujer este verano.
8. Me parece que (tú) ...... muy caprichoso, ¿eh?
9. (Nosotros) ...... muy descontentos del trato que nos dispensaron.
10. Ese chico empezó de aprendiz, pero en sólo ocho meses ...... el mejor oficial del taller.

**211. Haga lo mismo que en el ejercicio anterior**

1. Antes de dedicarte a esas aventuras, debes pensar en ...... un hombre de provecho.
2. ¡No (tú) ...... ahí quieto, muévete!
3. (Ella) ...... muy quisquillosa desde que la dejó el novio.
4. Estoy seguro que este chico ...... alguien en la vida de los negocios.
5. ¿Adónde vas? (tú) ...... muy elegante.
6. Con las heladas, las alcachofas ...... un artículo de lujo este año.
7. Desde que tiene dinero, (él) ...... un esclavo de las conveniencias sociales.

8. En materia de enseñanza, (él) ...... muy anticuado.
9. ¡No (Vd.) ...... así! ¡No es para tanto!
10. El conde Drácula ...... un vampiro.


## 212. Haga lo mismo que en el ejercicio anterior

1. Antes era muy realista, pero ahora ...... un quijote.
2. (Ella) ...... muda de la impresión.
3. (El) ...... ingeniero, y ahora trabaja en una empresa de construcción.
4. Después de salir de la cárcel, (él) ...... en una persona honrada.
5. ¡No ...... Vd. nerviosa, señorita! Todos estamos aquí para ayudarla.
6. Le dimos un sedante y ...... dormido al momento.
7. Si algún día (tú) ...... famoso, acuérdate de tus años difíciles del comienzo.
8. Con las malas compañías que frecuentan, ...... unos sinvergüenzas.


## 213. Sustitúyanse las expresiones en cursiva por equivalentes, efectuando los cambios sintácticos pertinentes, cuando sea necesario

1. El tren llegará *a eso de* las diez de la noche.
2. *Al salir,* no te olvides de dejar la llave al portero.
3. Habría *unos* 50.000 espectadores en el partido.
4. Sabes lo que te digo: *en cuanto* se me acabe el gas tiro el mechero.
5. *Hablando* inglés le notábamos un acento extraño.
6. *De haberlo sabido* antes, hubiera consultado a un especialista.
7. *Con escribirle* dos líneas cumples.
8. *Cuando termines* de leer la guía del ocio, pásamela.
9. Antes de *que te sientes,* quítate la chaqueta.
10. Estás así de gordo *por comer* demasiado.
11. *Necesito mantener* la calma y no ponerme nervioso.
12. *Nos permitió llegar* más tarde de lo corriente.
13. El profesor mandó a los alumnos *callar.*
14. El coronel ordenó *atacar* a sus tropas.
15. Le aconsejaría a usted *seguirle* la corriente.
16. ¡A buenas horas *iba yo a aguantarle*!
17. *Una vez que hubo comido* se echó la siesta.
18. *Deberías* ser más comedido en tus palabras.
19. *Quisiera* que todo el mundo fuese feliz.
20. Si acertase la quiniela del domingo, os *daría* un banquetazo.

## 214. Rellénense los puntos con la palabra adecuada

1. Una ...... de pan.
2. Una ...... de jabón.
3. Un ...... de aspirinas.
4. Una ...... de melón.
5. Un ...... de naranja.
6. Una ...... de chocolate.
7. Una ...... de jamón.

8. Una ...... de merluza.
9. Una ...... de cerveza.
10. Una ...... de licor.
11. Un ...... de uvas.
12. Una ...... de ajos.
13. Una ...... de conservas.
14. Un ...... de azúcar.

# Apuntes de clase

### 215. Háganse frases que completen el significado de las siguientes

1. Si dejaras el tabaco ......
2. Si ...... me haría un viaje por Europa.
3. Cuando regreses, ......
4. Cuando ......, te enviaré un telegrama.
5. Aunque no me guste, ......
6. Con tal de que ......, me daré por satisfecho.
7. Por más que ...... no veo a nadie.
8. A poco que te esfuerces, ......
9. De haberlo sabido, ......
10. No conozco a nadie que ...... esa novela.
11. Me hubiera parecido correcto que ......
12. No estaría mal que ...
13. (Irme) ...... si no llegáis a tiempo.
14. Me habría gustado que ......
15. Le recomendé que ......
16. Si ves a Pedro, ......
17. ...... lo antes que puedas.
18. Cuando estuvieron allí, sólo ...... desconocidos.
19. Tal vez lo comprenda cuando ......
20. Me alegraré de que ......
21. Como no lo tomasteis en serio, ......
22. Llamaré a un médico por si ......

### 216. Háganse frases que completen el significado de las siguientes

1. Ya habían entrado antes de que ...
2. Cuando ......, ya habíamos terminado.
3. He sabido que ......

4. Me han dicho que ...... de casa.
5. Cuando (nosotros) ......, habrán preparado todo.
6. Después de que hayáis reflexionado atentamente, ......
7. ¡Dígale que ...... en cuanto se presente aquí!
8. Si se nos hubiera ocurrido ......
9. Si ......, hubiéramos ido a recibirla.
10. Si ......, no habríamos tenido inconveniente.
11. ¿No le he insistido varias veces que ......?
12. ¿Ha sido Vd. el que ......?
13. Le habían aconsejado que ......
14. Dejaron de ......
15. Haré lo que ......

## 217. Complétese el sentido de las siguientes frases

1. Mientras trabajaba en aquella compañía ......
2. Se enfadó tanto que ......
3. Le han pedido que ......
4. ...... que pintaseis la habitación al temple.
5. Estaban aquí hace un momento, pero ya ......
6. He viajado todo lo que ......
7. Vi la obra de teatro y ......
8. Ya ...... que se ha pasado el domingo cazando.
9. Cuando era niño ......
10. Lo vas a estropear si no ......
11. Decidirá venir aunque ......
12. Me baño en la playa los días que ......
13. Una de dos, o estaba borracho o ......
14. No tenía ni idea de que ......
15. Para cuando haya terminado la carrera ......

## 218. Explique claramente la diferencia de significado entre las siguientes palabras

1. Cerco - cerca.
2. Ramo - rama.
3. Rayo - raya.
4. Gamo - gama.
5. Palo - pala.
6. Cuadro - cuadra.
7. Cuento - cuenta.
8. Calvo - calva.
9. Caño - caña.
10. Cuenco - cuenca.

# Apuntes de clase

**219. Varíese la posición del pronombre o pronombres en cursiva en los casos en que sea posible**

1. *Me lo* tienes que enviar lo antes posible.
2. Si *te* duele esa muela, debes sacár*tela.*
3. *Se lo* iba leyendo muy despacio y con gran atención.
4. Tenemos que ver*nos* mañana a las siete y media de la tarde.
5. Estaban escribiéndo*les* la carta cuando llegamos.
6. Tuvieron que dar*le* dos puntos en la herida.
7. No tengo que repetir*le* que se trata de un asunto muy importante.
8. *Le* habrán dicho que se calle.
9. *Nos* lo dijo sin rodeos.
10. *Nos* habían invitado a comer fuera, pero no aceptamos.
11. Cómpre*selo* sin pensar*lo* más.
12. No se *les* dio permiso para salir.
13. Dígame de qué se trata e intentaré ayudar*le.*

**220. Rellene los puntos con dos pronombres personales que exija el contexto**

(Frase modelo: *Yo no rompí la taza; se me rompió*)

1. Ella no apagó la vela; ...... ...... apagó.
2. Tú no tiraste los papeles; ...... ...... cayeron.
3. Yo no quería decir eso; ...... ...... escapó.
4. El policía no apretó el gatillo; ...... ...... disparó la pistola sola.
5. No hubo primer plato porque a mi madre ...... ...... quemaron las judías.
6. Tuvo que entrar por una ventana porque ...... ...... perdió la llave de la puerta.

## 221. Rellénense los espacios de puntos con los pronombres personales correspondientes

1. No le dijimos la verdad; ...... pareció muy fuerte.
2. La comida está sosa; ¿...... has puesto sal?
3. No, doña Luisa, no rompí el vaso; ...... ...... rompió.
4. El domingo fuimos de excursión y ...... pasamos estupendamente.
5. Es un pastel riquísimo; ...... ...... hace la boca agua.
6. No puede soportar las injusticias; ...... ...... sube la sangre a la cabeza.
7. Se conmovió tanto que ...... ...... llenaron los ojos de lágrimas.
8. Estaban tan débiles, que ...... ...... doblaban las piernas.
9. A su padre ...... mintió, pero a nosotros ...... ...... confesó todo.
10. Te damos permiso para ausentar ...... con la condición de que ...... tengas al corriente de ...... que haces.
11. Dice que perdió el control de sus nervios y ...... ...... nubló la vista.
12. A la mayoría de los padres ...... ...... cae la baba con sus hijos.

## 222. Obsérvese la frase modelo y termine las frases siguientes incluyendo el pronombre personal necesario

(Modelo: *Ya sabíamos que había estado Vd. aquí.*
*Que había estado Vd. aquí ya lo sabíamos.*)

1. No puedo comprender que haya sido capaz de hacer eso.
   Que haya sido capaz de hacer eso ......
2. Ni siquiera sospecha que le engañe.
   Que le engañe ......
3. Ya me imaginaba que no tiene vergüenza.
   Que no tiene vergüenza ......
4. Ya me habían dicho que conoce muy bien el alemán.
   Que conoce muy bien el alemán ......
5. Yo ignoraba que padece de asma.
   Que padece de asma ......
6. Ya vi desde el principio que la solución no era ésa.
   Que la solución no era ésa ......

## 223. Complétense las siguientes frases con una preposición y un infinitivo

1. Me contenté ......
2. Se decidió ......
3. Ni siquiera se dignó ......
4. Se han empeñado ......
5. Yo me encargo ......
6. No te entretengas ......
7. No estoy ......
8. Hemos ......
9. Nos indujo ......
10. Estoy decidido ......
11. Murió ......
12. Creo que se ofrecerá ......
13. Persiste ......

## 224. Háganse frases con las siguientes expresiones que establezcan claramente sus diferencias de significado

hacerse tarde - llegar tarde - ser tarde
tener prisa - llevar prisa - correr prisa
dar la razón - tener razón - llevar razón - quitar la razón

# Apuntes de clase

**225.** Rellene los puntos con el pronombre personal que exija el contexto

1. Ayer por la tarde se ...... estropeó el teléfono (a nosotros).
2. Ya se ...... ha advertido del peligro (a vosotros).
3. A Juanita siempre se ...... escapa la risa en los momentos más inoportunos.
4. Pasé un mal rato porque se ...... durmió un brazo.
5. Como hacía viento, se ...... cayó un tiesto a la calle (a ellos).
6. Se ...... cae la baba cuando te hablan de Mara Belén.
7. Se ...... ha perdido el bolígrafo (a mí).
8. Se ...... quemó la comida (a ella).
9. Le ofendieron y se ...... subió la sangre a la cabeza (a Vd.).
10. Se ...... pinchó una rueda de la moto (al cartero).

**226.** Rellene los puntos con dos pronombres personales que exija el contexto

1. Cuando oigo estas cosas ...... ...... ponen los pelos de punta.
2. A tu hija siempre ...... ...... han atragantado las matemáticas.
3. Al ver la langosta (a mí) ...... ...... hizo la boca agua.
4. A la abuela ...... ...... llenan los ojos de lágrimas cuando le hablan de su juventud.
5. Salga Vd. a tomar un poco el aire, a ver si ...... ...... despeja la cabeza.
6. Del susto que recibió ...... ...... cortó la voz.
7. No comprendo cómo una idea tan estúpida (a él) ...... ...... ha metido entre ceja y ceja.
8. Cuando se enteró de que habían suspendido a su hijo, ...... ...... cayó el alma a los pies.
9. Le pisé en un callo y ...... ...... escapó un taco.
10. ¿Por qué (a ti) ...... ...... antojan siempre estas chucherías?

### 227. Sustitúyase la forma LE-S por LO-S donde sea posible sin cometer una incorrección

1. Le reconocí al instante.
2. Les traje a casa en el coche.
3. Le pagué el cheque a Enrique.
4. Les dije que fueran puntuales.
5. Les hablé del tema.
6. Le comprendí sin grandes dificultades (a él).
7. Les vimos en la estación del Norte.
8. Le colocaron en el mejor asiento.
9. Le dije una palabrota.
10. Le destinaron a provincias.

### 228. Explique la diferencia que existe entre los siguientes pares de frases

1. Hemos comprado un yate.
   Nos hemos comprado un yate.
2. Pedro vino solo a Madrid.
   Pedro se vino solo a Madrid.
3. Como un filete en cada comida.
   Me como un filete en cada comida.
4. Ese señor fuma dos puros diarios.
   Ese señor se fuma dos puros diarios.
5. Esperó una hora por él.
   Se esperó una hora por él.

### 229. Explique claramente la diferencia de significado entre las siguientes palabras

1. Aptitud - talento.
2. Jugo - zumo.
3. Sensible - sensato.
4. Colegio - escuela - instituto.
5. Cursi - ridículo.
6. Eficaz - eficiente.
7. Pudor - modestia.
8. Plan - plano.
9. Temporada - estación.
10. Vulgar - grosero.
11. Simple - sencillo.
12. Liso - suave.

**230. Sustitúyanse los relativos en cursiva por otro relativo con artículo, en los casos en que sea posible**

1. Los empleados, *que* han rendido bastante este mes, recibirán un sobresueldo.
2. La corbata *que* has comprado es muy chillona.
3. El detalle en *que* te has fijado me parece interesante.
4. El vecino de *quien* tanto me he ocupado me ha decepcionado.
5. Me he entrevistado con *la persona que* está a cargo del departamento.
6. A *quien* madruga, Dios le ayuda.
7. *El que* estudia, aprueba.
8. El año *en que* nos conocimos fue antes de la guerra.
9. No es esto *a lo que* me refiero.
10. Es ella *la que* no lleva razón.
11. La novela *cuyas* páginas voy redactando no acaba de satisfacerme.
12. No has hecho nada en todo el verano, *lo cual* me desagrada profundamente.
13. No es ése el guardia *de quien* te hablé ayer.
14. El niño *cuyos* padres han muerto se llama huérfano.
15. Ha venido un señor *que* quería hablar contigo.
16. Hay que tirar los restos de la comida *que* están podridos a la basura.
17. Esa anécdota me trae a la memoria una película de *cuyo* título no me acuerdo.
18. Mis primos, *a los cuales* no les agradaba vivir en el campo, persuadieron a sus padres para comprar un piso en la capital.

## 231. Sustitúyase en las siguientes frases DONDE por una preposición y un pronombre relativo que le sean sinónimos

1. El barrio donde vivimos está muy apartado del centro.
2. El pueblo donde nací es muy pobre.
3. El hotel donde se hospedaba era muy ruidoso.
4. El lugar por donde pasábamos era bastante inhóspito.
5. La localidad adonde le destinaron se mantiene todavía en secreto.
6. El lugar desde donde te escribo es un refugio de montaña.
7. El punto adonde me dirijo te lo comunicaré posteriormente.
8. La playa donde paso los veranos se está poniendo de moda.

## 232. Rellene los puntos con las partículas necesarias para completar el sentido

1. Fue con esas palabras ...... terminó el discurso.
2. Era de Pedro ...... no quería hablar.
3. Esa es la razón ...... quiero verte.
4. Fue en abril ...... nos vimos por última vez.
5. Es a la orilla de los ríos ...... se dan los chopos.
6. Fue por una tontería ...... riñeron.
7. Es desde aquí ...... se divisa mejor panorama.
8. Así es ...... se separaron nuestros destinos.
9. Era sin dinero ...... no podía pasar.
10. ¿Es para esto ...... me has mandado llamar?

## 233. Sustitúyanse las palabras en cursiva por un adjetivo

1. El panorama *de la ciudad.*
2. La vida *del hombre.*
3. Los vestidos *de la mujer.*
4. Los edificios de *Bogotá.*
5. Las costumbres *del pueblo.*
6. La paz *del hogar.*
7. Las fiestas *de Navidad.*
8. Las reacciones *de los niños.*
9. La navegación *de río.*
10. Correo *por avión.*
11. Periódico *de la tarde.*
12. Fiesta *de toros.*
13. Parque *de fieras.*
14. Reunión *de estudiantes.*
15. Industria *de productos del campo.*
16. Industria *de tejidos.*

200

### 234. Léanse las siguientes frases

1. Madrid, martes, 13 de diciembre de 1966.
2. Visitas todos los días, incluso festivos, de 9 a 1,30 y de 5,30 a 7,15.
3. Dirección de la empresa: Princesa, 80. Tel. 2 36 41 89.
4. El billón español es 1.000000.000000.
5. Información económica en págs. 20 y 21.
6. Este local cuesta 750.000 ptas.
7. El censo de la población se realizará del 5 al 31 de abril.
8. Temperaturas de ayer en Soria: máxima: +8 a las 18. Mínima: +0,4 a las 4.
9. Hoy es martes y 13, la suerte llama a su puerta. ¡Aproveche esta ocasión! Son 525.000.000 el gordo de Navidad. ¡Juegue en Alcalá, 18 (estanco)!
10. Para llamar a la policía hay que marcar el 091. Para información de la hora, el 093, y para avisos de averías, el 002.
11. Otros pisos con facilidades: *Moratalaz,* 4 habitaciones, baño más aseo, 3 terrazas, calefacción, ascensor, muebles gran lujo, a estrenar, 350.000 de entrada, resto grandes facilidades. *Barrio del Pilar,* 5 habitaciones, 4.575.000 ptas. *Santa Engracia,* 425 m² de jardines, 7.500.000 ptas.
12. 2/3 del sueldo se me van en casa y comida y el otro 1/3 apenas me llega para cubrir las demás necesidades.
13. Menos de 1/4 de la población española vive en el campo.
14. Carlos I de España y V de Alemania fue el último César de Occidente.
15. Juan XXIII fue un Papa popular.
16. Luis XIV fue llamado el «Rey Sol».

## 235. Fórmense los ordinales correspondientes a los siguientes números

| | | |
|---|---|---|
| 29 | 30 | 11 |
| 3 | 10 | 12 |
| 19 | 5 | 100 |
| 1.000 | 14 | 20 |
| 40 | 72 | 8 |

## 236. Colóquese la partícula SE donde sea posible o necesario

1. ...... me ocurrió una idea extraordinaria, pero no pude llevarla a cabo.
2. Como no lo cuides, ...... te va a caer el pelo.
3. ¡Ya está!, ...... ha estropeado otra vez el chisme éste.
4. (El) ...... dio varias vueltas al ruedo.
5. (Ella) ...... dio una vuelta por el centro.
6. La hermana mayor ...... llevaba bien con su padre.
7. Espero que ...... lo diga Vd. antes de que sea demasiado tarde.
8. ¿...... ha recibido Vd. el recibo del gas?
9. ...... me ha caído otra vez el despertador y ...... ha hecho añicos.
10. Creo que no ...... ha meditado Vd. lo suficiente.
11. A ese individuo ...... le ve el plumero.
12. ...... comunicaron por carta todas sus vicisitudes.
13. ¡Que ...... fastidie!
14. ...... descansó un buen rato durante la hora de la siesta.
15. Sospecho que (él) ...... trae algo entre manos.
16. ¿Cuánto tiempo (él) ...... pasó en la cárcel?
17. (Ella) ...... lloró desconsoladamente toda la tarde.

## 237. Explíquese el sentido de las palabras en cursiva, en las siguientes frases sacadas de los periódicos

1. Ayer se cometió un *atraco* en una joyería de la calle Almagro.
2. No he visto esa película en la *cartelera de espectáculos*.
3. Se celebró *un homenaje* en honor de don Miguel de Unamuno en la Universidad de Salamanca.
4. *El timo de la estampita* sigue teniendo víctimas propiciatorias.
5. Los cines *de sesión continua* son más baratos que los *de estreno*.
6. *Fallo* del concurso literario Elisenda de Moncada.
7. La sección *anuncios por palabras* está en las últimas páginas de este periódico.

8. *El servicio doméstico* está cada vez más escaso.
9. *La inauguración* de este *establecimiento* tendrá lugar el próximo lunes a las 7,30 de la tarde.
10. Ayer, a las 5,15 de la tarde, resultó *lesionado* en accidente de tráfico don Javier Hernández, *domiciliado* en Ventura de la Vega, 23.
11. Los empleados de la empresa municipal de transportes percibirán este mes de marzo una cantidad considerable en concepto de *horas extraordinarias.*
12. Esta mañana se ha registrado un *aparatoso accidente* en las oficinas comerciales de la Agencia «La Veloz».
13. *El fallecimiento le sobrevino* por haber ingerido una dosis excesiva de *barbitúricos.*
14. *El jefe de personal* del Banco Naviero ha denunciado *una estafa* de dos millones de pesetas cometida en la sede central de dicho establecimiento bancario.
15. *Alquileres* al alcance de todas las economías: llamen por teléfono a nuestras oficinas.

## 238. Explique el sentido de las siguientes construcciones con los verbos PASAR y CAER

1. Lo han pasado muy bien en la verbena.
2. ¡Muy ingenioso!, pero te pasas de listo.
3. ¡Camarero, el filete que esté muy pasado!
4. No te cae bien ese gorro.
5. La Semana Santa suele caer por marzo o abril.
6. No han llegado, pero están al caer.
7. Yo paso de política.

# Apuntes de clase

**239. Rellénense los puntos con la palabra que exija el sentido de la frase**

1. No entiendo ...... jota de historia.
2. No patina ...... bien como dice.
3. Entiende ...... de arte como yo.
4. Mi mujer conduce mejor ...... yo.
5. Gasta tanto dinero en vicios ...... apenas le llega para terminar el mes.
6. Sé un poco más optimista; hay gente que disfruta ...... que tú de la vida.
7. No sólo se dedica al cine, ...... también al teatro.
8. Es inútil que le hables; ...... siente ...... padece.
9. ¡Ni tanto ...... ...... calvo!
10. A la corrida asistieron casi ...... extranjeros como nativos.

**240. Repita las siguientes frases incluyendo los adjetivos entre paréntesis en la posición que considere más adecuada**

1. (remoto, misterioso) Vivía en un castillo escocés.
2. (agudas, nevadas) A lo lejos se destacaban las cumbres de la sierra.
3. (ilustre, docto) El conferenciante resultó aburrido.
4. (sofisticado) Hablaba en un tono elegante.
5. (largas) En aquella biblioteca pasamos monótonas horas.
6. (distinguida) El señor Pérez estuvo también presente con su bella esposa.
7. (sórdidos, madrileños) Se le veía por los garitos.
8. (espléndidos, árabes) Le regalaron dos caballos.
9. (valiosos, impresionistas) Vendió sus cuadros.
10. (enérgica) La policía, con su actuación envolvente, disolvió la manifestación.

**241. Repita las siguientes frases incluyendo los adjetivos entre paréntesis en la posición que considere más adecuada**

1. (azules, vaqueros) Llevaba unos pantalones.
2. (otoñal) Contemplábamos la triste y melancólica lluvia.
3. (clandestinos) Los temidos movimientos terroristas.
4. (mercante) El tonelaje de la flota española ha aumentado en los últimos años.
5. (difícil, complejo) El problema aritmético no tenía solución.
6. (rico, riojano) El vino sube de precio de día en día.
7. (fuertes, eléctricas) Le aplicaron corrientes.
8. (clerical) Vestía un oscuro traje.

**242. Explíquese la diferencia de sentido que las palabras en cursiva dan a las siguientes frases**

1. Por el prado corría un arroyo.
   Por el prado corría un *arroyuelo*.
2. La mesa tiene tres cajones.
   La mesa tiene tres *cajoncitos*.
3. El pastor cuidaba las ovejas.
   El *pastorcillo* cuidaba las ovejas.
4. Había un perro a la entrada del jardín.
   Había un *perrazo* a la entrada del jardín.
5. Era una mujer rebosante de salud.
   Era una *mujerona* rebosante de salud.
6. ¡Vaya libro que te estás tragando!
   ¡Vaya *libraco* que te estás tragando!
7. Sobre el cerro se distinguía un pueblo.
   Sobre el cerro se distinguía un *poblacho*.

**243. Haga frases que acompañen a las siguientes exclamaciones**

¡Uy!                    ¡Zas!
¡Qué va!                ¡Hala!
¡Ay!                    ¡Bah!
¡Pronto!                ¡Socorro!
¡Ya basta!              ¡Qué horror!
¡Qué asco!              ¡Puñetas!

**244. Coloque el adjetivo entre paréntesis en la posición adecuada utilizando la conjunción Y si es necesario**

1. (antigua) Había allí una hermosa porcelana china.
2. (afectuoso) Me dio un abrazo de bienvenida.
3. (moderno) Instalaron un amplio laboratorio de química.
4. (inexpresivas) La carta está llena de palabras vagas.
5. (oscura) Trabajaba en una buhardilla destartalada.
6. (complicado) Estaba descifrando un jeroglífico egipcio.
7. (política) Asistió a una interesante reunión.
8. (aburrido) Estaba viendo un soso programa de televisión.
9. (llamativa) Llevaba una piel de pantera.
10. (estadísticos) Publicó documentados y brillantes estudios.

**245. Explíquese la diferencia de matiz que confieren las palabras en cursiva**

1. Es un muchacho jovial.
   Es un *muchachote* jovial.
2. Es fea pero simpática.
   Es *feúcha* pero *simpaticona*.
3. ¡Qué chaqueta llevas!
   ¡Qué *chaquetilla* llevas!
4. ¿Me trae Vd. unas patatas?
   ¿Me trae Vd. unas *patatitas*?
5. Me voy a tomar un café.
   Me voy a tomar un *cafetico*.
6. ¡Buen vino bebes!
   ¡Buen *vinillo* bebes!
7. Es un autor que ha escrito un par de cosas.
   Es un *autorcillo* que ha escrito un par de cosas.

8. Se metió por unas calles apartadas.
   Se metió por unas *callejuelas* apartadas.
9. Vivía en una casa de las afueras.
   Vivía en una *casucha* de las afueras.
10. Estás pálido. ¿Qué te pasa?
    Estás *paliducho*. ¿Qué te pasa?
11. Entra despacio, no despiertes al niño.
    Entra *despacito*, no despiertes al niño.

## 246. ¿A qué país, ciudad o región pertenecen los siguientes adjetivos?

| | | |
|---|---|---|
| 1. Donostiarra. | 16. Salmantino. | 31. Levantino. |
| 2. Catalán. | 17. Paraguayo. | 32. Hindú. |
| 3. Argelino. | 18. Sudafricano. | 33. Sirio. |
| 4. Gaditano. | 19. Granadino. | 34. Cordobés. |
| 5. Vallisoletano. | 20. Burgalés. | 35. Santanderino. |
| 6. Abulense. | 21. Ovetense. | 36. Leonés. |
| 7. Malagueño. | 22. Manchego. | 37. Extremeño. |
| 8. Vasco. | 23. Navarro. | 38. Aragonés. |
| 9. Ecuatoriano. | 24. Salvadoreño. | 39. Dominicano. |
| 10. Costarricense. | 25. Tibetano. | 40. Mongol. |
| 11. Vietnamita. | 26. Neocelandés. | 41. Siberiano. |
| 12. Libanés. | 27. Jordano. | 42. Coreano. |
| 13. Rumano. | 28. Checo. | 43. Sueco. |
| 14. Suizo. | 29. Galés. | 44. Normando. |
| 15. Libio. | 30. Guineano. | 45. Etíope. |

## 247. Rellénense los puntos con un verbo adecuado

1. Se ...... al examen sin saber nada.
2. Al ver a la policía, él ...... a correr.
3. Has ...... una tontería mayúscula.
4. ¿Le gusta a usted ...... el piano?
5. Mi hermana ...... veinte años mañana.
6. Se fue a ...... un paseo.
7. Por efectos de la tempestad el barco ......
8. Fue a ...... el pelo.
9. Se ...... los zapatos porque le hacían daño en los pies.
10. ¿Se ha ...... usted la medicina?
11. Se han ...... a una nueva casa.
12. El automóvil se ...... contra un árbol.

13. Le gusta mucho ...... deporte.
14. Los almendros ...... en enero.
15. Los periodistas le ...... una entrevista, pero les fue denegada.
16. He ...... unas botellas a la tienda, pero todavía no han venido.
17. ¡...... la radio! ¡Hace mucho ruido!
18. ...... (tú) un disco más alegre; éste no me gusta.

**248. Díganse los sinónimos que se conozcan de las siguientes palabras**

| | | | |
|---|---|---|---|
| 1. | Criada. | 8. | Chico. |
| 2. | Trabajador. | 9. | Baile. |
| 3. | Clase. | 10. | Guardia |
| 4. | Chaqueta. | 11. | Jersey. |
| 5. | Buque. | 12. | Cristal. |
| 6. | Periódico. | 13. | Chiste. |
| 7. | Cuadro. | 14. | Cama. |

# Apuntes de clase

**249. Colóquese una de las siguientes palabras: ALGUNO, NINGUNO, CUALQUIER(A), UNO, PRIMERO, TERCERO en las frases que van a continuación y en la forma adecuada**

1. Según la Biblia, nuestros ...... padres fueron Adán y Eva.
2. Eso que estás haciendo lo puede hacer ......; no tiene nada de particular.
3. Es un hombre que tiene muchas respuestas y ...... pregunta.
4. Ya te lo he dicho dos veces; a la ...... va la vencida.
5. La ...... Guerra Mundial empezó en 1914.
6. Ese tejido se encuentra en ...... tienda; es muy corriente.
7. ¿Ha visto Vd. esa película que se titula «El ...... hombre»?
8. Esta porcelana antigua la compré en ...... tenducho del Rastro.
9. La ...... vez que lo vi me resultó antipático, pero después he cambiado de opinión.
10. ¿Tienes ...... dinero suelto?, necesito pagar el taxi y no tengo cambio.
11. Siento decir que no me gusta ...... novelista actual; son unos pelmazos.
12. ¡...... diría que ha pasado hambre!, ahora tiene tres coches.
13. Eso que dices lo sabe ......
14. ¡...... lo adivina!

**250. Complétese el sentido de las siguientes frases con una de las palabras que van a continuación: AMBOS, SENDOS, TALES**

1. ...... hermanos se compraron ...... abrigos.
2. ...... razones no me convencen ni me convencerán nunca.
3. ...... contendientes terminaron agotados.
4. En ...... circunstancias no puedo negarme a ayudarte.

213

5. Con motivo del día de la Patrona se distribuirán 8.000 tortillas a la española y un número igual de chuletas de cordero en ...... bolsas de papel parafinado.

## 251. Rellénense los puntos con un verbo adecuado

1. (El) ...... una enfermedad incurable.
2. La feliz pareja ...... sus bodas de plata con un vino español.
3. Se dedica a ...... conferencias.
4. Hay que ...... ese problema cuanto antes.
5. El profesor ...... a un alumno a la pizarra.
6. El diputado ...... la palabra para explicar su proyecto.
7. El alcalde y sus concejales acudieron a la estación para ......le la bienvenida.
8. Grandes rebajas, ¡...... la oportunidad!
9. Ellos ...... mala suerte en ese negocio.
10. Si no paga usted el recibo, la compañía le ...... la luz.
11. Le han metido en la cárcel por haber ...... un fraude.
12. Los guardias están ...... multas a los automóviles más aparcados.
13. El ladrón ...... un banco.
14. He ...... un piso por 8.500 pesetas al mes.
15. El avión ...... en el aeropuerto de Barajas a la hora prevista.

## 252. Dígase el nombre de los que ejercen las siguientes actividades

1. Medicina.
2. Farmacia.
3. Ciencias.
4. Notaría.
5. Filología.
6. Historia.
7. Investigación.
8. Arquitectura.
9. Pintura.
10. Economía.
11. Magisterio.
12. Enseñanza.
13. Ingeniería.
14. Matemáticas.
15. Física.
16. Lingüística.
17. Literatura.
18. Psiquiatría.
19. Escultura.
20. Poesía.
21. Política.
22. Química.

## 253. Explique el sentido de las siguientes expresiones

1. ¡A mí no me tomas el pelo!
2. Hace un tiempo de perros.
3. ¡Perdona, pero has metido la pata!
4. Lo sé de oídas.
5. Se me hizo la boca agua al ver el pastel.
6. Lo explicó con pelos y señales.

# Apuntes de clase

# unidad 52

## 254. Colóquese el artículo determinado delante de las siguientes palabras. Algunas tienen masculino y femenino

1. Homicida.
2. Hipótesis.
3. Dilema.
4. Centinela.
5. Andes.
6. Miércoles.
7. Cisma.
8. Calor.
9. Nave.
10. Propina.
11. Suicida.
12. Relación.
13. Melocotón.
14. Sena.
15. Mont. Blanc.
16. Adriático.
17. Planeta.
18. Flor.
19. Serie.
20. Barco.
21. Caos.
22. Haya.
23. Estudiante
24. Azores.
25. Guadarrama.
26. Oeste.
27. Dama.
28. Labor.
29. Reunión.
30. Moto.
31. Faro.
32. Temblor.
33. Esquema.
34. Lema.
35. Resultado.

## 255. Colóquese el artículo determinado o indeterminado donde sea necesario

1. ...... doctor, me pica mucho la nariz estos días.
2. ...... señor presidente, ¿por qué no nos sube el sueldo?
3. ...... sábado por la tarde cierra el comercio.
4. En ...... martes ni te cases ni te embarques.
5. ...... señor Ardau es ...... hombre muy ocupado.
6. En dos minutos se puso ...... corbata, ...... camisa, ...... pantalones y ...... zapatos.
7. Tenemos ...... coche, pero no lo usamos.
8. Su conducta era impropia de ...... catedrático.
9. A pesar de su juventud era todo ...... hombre.
10. Mi amigo Enrique es ...... Don Juan.

11. Me fumé ...... paquete completo de cigarrillos y luego ...... otro que me dieron.
12. El problema de muchos jóvenes españoles es conseguir ...... empleo.


### 256.  Colóquese el artículo indeterminado donde sea necesario

1. Me gusta María porque tiene ...... algo muy atractivo.
2. Tiene ...... tío en La Habana.
3. Le dio ...... cólico a medianoche.
4. Su hermano es ...... pintor, pero no gana ...... céntimo.
5. Los huevos están a 100 pesetas ...... docena.
6. El es ...... católico, pero su mujer es ...... protestante.
7. Fui ...... profesor de ese colegio, pero ahora enseño en ...... otro.
8. Por aquella época era ...... electricista.
9. ¡Señorita!, soy ...... soltero y sin compromiso.
10 ¡Caballero!, soy ...... casada.
11. Le estoy cogiendo ...... asco tremendo a esta casa.
12. Tengo ...... resaca espantosa, ayer bebí mucho.
13. Hoy estás de ...... antipático que no hay quien te aguante.
14. No me gusta esa chica, es de ...... soso increíble.
15. ¡Qué ...... lástima!, no hemos tenido tiempo de saludarle.
16. Vino ...... otra persona a verme por lo del empleo.
17. Como ...... abogado debo recomendarle que tenga prudencia.
18. Su difunta madre era toda ...... mujer.
19. Está hecho ...... calavera.
20. Se cree ...... Dios.
21. El catedrático de geología es ...... hueso.


### 257.  Colóquese el artículo, determinado o indeterminado, donde sea necesario

1. En ...... hockey sobre patines España ha sido muchas veces campeón del mundo.
2. Llevó ...... traje negro durante ...... año al morir su madre.
3. Cuando escaseaba ...... azúcar, usábamos sacarina.
4. ...... avión se ha impuesto como medio de transporte para ...... largas distancias.
5. Dicen que cada hijo trae ...... pan debajo de ...... brazo.
6. ¡Cómete ...... judías y no hagas más remilgos!
7. ¡Camarero, tráigame ...... cuenta!
8. No me gusta ...... sabor de ...... ajo.

9. ...... tortilla a ...... española es uno de ...... platos más sabrosos y baratos.
10. ...... Reina Madre hizo ...... valiosa donación para ...... Hospital de ...... Beneficencia.
11. ¡Espera ...... momento; me falta ...... paraguas!
12. ...... profesor Suárez de Leza no puede venir hoy a ...... clase.
13. ...... señores opositores deberán presentar ...... solicitud antes de ...... lunes.
14. En ...... circunstancias así uno no sabe qué hacer.
15. Era ...... conquistador; ...... chicas se volvían locas por él.

### 258. Explique el sentido de las siguientes expresiones con el verbo METER

1. ¡No hay que dejarle meter baza!
2. ¡Métase Vd. esto en la cabeza: la vida ha cambiado mucho!
3. Siempre está metiendo la pata.
4. Tenemos mucho tiempo, ¡no me metas prisa!
5. ¡No le metas miedo al niño, que no conduce a nada!
6. El padre tiene metida en un puño a toda la familia.
7. A ese niño hay que meterlo en cintura.

# Apuntes de clase

**259. Fórmese el plural de las siguientes palabras compuestas**

1. Cualquiera.
2. Telaraña.
3. Bocacalle.
4. Rompeolas.
5. Mediodía.
6. Sacacorchos.

7. Saltamontes.
8. Pararrayos.
9. Hispanoamericano.
10. Paraguas.
11. Paniaguado.
12. Contralmirante.

**260. Pónganse los siguientes conjuntos nominales en plural**

1. Casa cuna.
2. Autoservicio.
3. Coche cama.
4. Buque escuela.
5. Hombre rana.

6. Autoescuela.
7. Perro policía.
8. Guardacoches.
9. Aguafiestas.
10. Extrarradio.

**261. Utilice estos verbos en frases mostrando claramente la diferencia de uso y significado**

| | |
|---|---|
| dormir | — dormirse |
| ir | — irse |
| marchar | — marcharse |
| callar | — callarse |
| encargar | — encargarse |
| apuntar | — apuntarse |
| conformar | — conformarse |
| saber | — saberse |
| decidir | — decidirse |
| encontrar | — encontrarse |
| estirar | — estirarse |

## 262. Póngase el acento en las palabras en cursiva que lo requieran

1. *Mi* caso es distinto al tuyo.
2. *Si* corres los visillos tendremos más luz.
3. *El* que mucho corre, pronto para.
4. *Este* que me presentas me gusta más.
5. *Aquel* olivo es centenario.
6. En *esa* bodega venden jerez a granel.
7. No sé *donde* se ha metido.
8. Lo digo *porque* me sale de dentro.
9. Son *solo* las ocho; no tengas tanta prisa.
10. A *mi* esos gestos no me impresionan.
11. Estaban hablando entre *si*.
12. El provecho es para *el* y las penas para nosotros.
13. La lavadora *esta* lleva varios días estropeada.
14. Prefiero *aquel* a *este*.
15. ¡A *ese*, a *ese*!
16. No te metas *donde* no te llaman.
17. Está *sola* la mayor parte del día.
18. No sé con *cual* quedarme.

## 263. Explíquese el significado de las siguientes palabras y expresiones

1. Mercado.
2. Guardarropa.
3. Guardia urbano.
4. Guardia civil.
5. Policía nacional.
6. Policía municipal.
7. Sereno.
8. Trapero.
9. Partida de nacimiento.
10. Partida de bautismo.
11. Certificado médico.
12. Certificado de penales.
13. Carnet de identidad.
14. Carnet de conducir.

# Apuntes de clase

**264. Rellénense los puntos de las siguientes frases con las preposiciones POR o PARA**

1. Ultimamente le ha dado ...... la pintura.
2. Se compró unas botas ...... la nieve.
3. Aplazaron el viaje ...... el verano.
4. El coche está hecho una pena ...... fuera; ...... dentro está bastante limpio.
5. Mandé al chico (a) ...... cigarrillos.
6. Te tienen ...... persona muy capacitada.
7. Aún queda mucho ...... discutir.
8. ¿Te vienes ...... el centro?
9. ...... lo menos deberías haberle avisado.
10. Este tipo se enfurece ...... cualquier cosa.
11. Estoy ...... el arrastre, chico; no puedo con mi alma.
12. Me voy ...... una semana.
13. Fue ...... Semana Santa cuando le escribimos.
14. ...... ahora no hay nada que hacer: ya veremos más adelante.
15. Ha navegado ...... todos los mares del mundo.
16. ...... Pedro, tú eres un cero a la izquierda.
17. Al principio le tomé ...... forastero.
18. ...... la hora en que llegó a casa, deduje que habíais estado de juerga.
19. Le está bien empleado ...... ingenuo.
20. Se arrastró ...... debajo de la mesa.

### 265. Colóquese la preposición POR o PARA en las siguientes frases

1. Esto es ...... morirse de pena.
2. Se guía mucho ...... el qué dirán.
3. ¡...... bromas estoy yo!
4. ¡No te vayas! Están ...... llegar.
5. ...... cierto que aún no he recibido la tarjeta de que me hablabas.
6. Eso lo doy ...... supuesto.
7. Atravesó el bosque ...... el atajo.
8. ¡Felicidades!, y que sea ...... muchos años.
9. ¡...... poco me pilla el autobús!
10. ¡...... mujer guapa, la mía!
11. ...... dormir no hay mejor que el vino.
12. ¡...... esta vez pase, pero que no se repita!
13. ...... fortuna, no ha habido víctimas.
14. Lo han multado ...... desacato a la autoridad.
15. ...... serle sincero, no me gusta la música.
16. Tocó el tema sólo ...... encima.
17. No le aceptaron en el ejército ...... miope.

### 266. Rellénense los puntos con la preposición A, en los casos en que sea necesario

1. Conozca usted ...... España.
2. ¡Encarga ...... los primos que te lo traigan de Francia!
3. Prefiero la comedia ...... la tragedia.
4. ...... mí no me importan esos chismes.
5. Tuve que ayudarle ...... desmontar la rueda.
6. ¿...... qué sabe eso que están tomando?
7. ...... ustedes les han encomendado la vigilancia de este puesto.
8. Tenían ...... una chica de un pueblo de Toledo.
9. Busco ...... cocinero con experiencia.
10. No temo ...... la muerte, aunque sé que llegará algún día.
11. Necesitamos ...... mecánico electricista con urgencia.
12. ...... Eduardo le tira mucho la patria chica.
13. Contestó ...... la pregunta con otra pregunta.
14. Respondió ...... su interlocutor con frases groseras.
15. Era contrario ...... toda clase de medidas drásticas.

### 267. Complétense las siguientes frases con la preposición adecuada y un infinitivo

1. He pensado ..............................
2. Se paró ..............................
3. No te pongas ..............................
4. Se abstuvo ..............................
5. Nos conformamos ..............................
6. Contribuye ..............................
7. Estaba dispuesto ..............................
8. Me desafiaron ..............................,
9. No te esfuerces ..............................
10. Se expusieron ..............................
11. Le incité ..............................
12. Nos han invitado ..............................
13. Se jactaba ..............................
14. No se ha limitado ..............................

### 268. Explique claramente la diferencia de significado entre las siguientes palabras

1. Especias - especies.
2. Puerta - verja - portal.
3. Navaja - cuchillo.
4. Río - arroyo - torrente.
5. Montaña - colina - sierra.
6. Cielo - firmamento.
7. Máquina - motor.
8. Herramienta - utensilio - instrumento.
9. Chisme - trasto.
10. Tierra - suelo - piso.

# Apuntes de clase

**269. Rellénense los puntos con una preposición adecuada**

1. No iremos ...... pie; iremos ...... coche.
2. Se lo compré ...... cinco duros.
3. Las manzanas están ...... 10 pesetas el kilo.
4. Era muy aficionado ...... (el) teatro.
5. Se quedó absorto ...... «Las Meninas».
6. No le permito que lo haga ...... ningún pretexto.
7. No estoy ...... acuerdo ...... las conclusiones ...... que ha llegado usted.
8. Siempre se está metiendo ...... la gente; no hay quien le aguante.
9. Lo siento, pero yo voto ...... contra.
10. Estoy ...... favor de esa ponencia.
11. ...... todo pronóstico, el día amaneció nublado.
12. ...... seguir las cosas así me veré obligado ...... presentar la dimisión.
13. No he vuelto a verle ...... entonces.
14. No puedo estar ...... todo; tienen ustedes que ayudarme.
15. ¡Estás equivocado!, no hay nada ...... ella y yo.
16. ¿Cómo vienes ...... estas horas?
17. ...... ahora no he podido hablar con él.
18. ...... las cuatro habremos terminado de comer.
19. ...... lo que más quieras, no me causes más disgustos.
20. ...... las últimas estadísticas más de la mitad ...... la población mundial pasa hambre.
21. ...... duda, no ha tenido suerte ...... la vida.
22. ...... todo, me molesta su manera de hablar.
23. Anda ...... un terrenito en la Costa del Sol.

**270. Complétese el sentido de los siguientes ejemplos con la palabra o palabras convenientes**

1. Me voy ...... Toledo mañana.
2. Los vagabundos vivían ...... (el) puente.
3. Aspira ...... una condecoración.
4. Se oía un gran tumulto ...... dentro ...... la casa.
5. Tiene una estatura muy ...... ...... ...... lo normal; es un gigante.
6. Se detuvo ...... el escaparate.
7. Mucha gente ...... tierra ...... no conoce el mar.
8. Está aún ...... los efectos de la anestesia.
9. ...... ...... los árboles se filtraba un rayo de luz.
10. Se limpió los zapatos ...... una bayeta.
11. No se podía navegar río ......
12. Apoyó la escalera ...... la pared.
13. A la voz del sargento, los soldados dieron un paso ...... ......
14. Ninguno ...... ellos sabía francés.
15. ...... ...... él todo son atenciones.
16. Fue una época ...... mucha escasez.
17. Estábamos ...... la orilla ...... (el) mar.
18. ...... la playa ...... su casa no hay más de veinte pasos.
19. Dejémoslo ...... luego.


**271. Complétense estas frases con una de estas tres palabras: BAJO, ABAJO o DEBAJO**

1. Esta madrugada hemos estado a 4° ...... cero.
2. El portero vive ......
3. ...... de los soportales de la Plaza Mayor hay muchas sombrererías.
4. El pueblo gritaba: ¡...... con el tirano!
5. No hay nada nuevo ...... el sol.
6. Tuvimos que prestar declaración ...... juramento.
7. Había muchos molinos aguas ...... del río.
8. El lápiz está ...... de ti.
9. Puedes hacerlo, pero ...... tu responsabilidad.
10. Prohibido pisar el césped ...... multa de cinco pesetas.
11. El vecino de ...... se pasa el día tocando el acordeón.

**272. Díganse los términos de significación contraria a los siguientes**

| | |
|---|---|
| 1. Desesperación. | 15. Amor. |
| 2. Alegría. | 16. Claridad. |
| 3. Bondad. | 17. Certeza. |
| 4. Verdad. | 18. Soledad. |
| 5. Profundidad. | 19. Egoísmo. |
| 6. Pobreza. | 20. Fuerza. |
| 7. Actividad. | 21. Timidez. |
| 8. Afirmación. | 22. Sinceridad. |
| 9. Vanidad. | 23. Luz. |
| 10. Enfermedad. | 24. Prólogo. |
| 11. Perfección. | 25. Error. |
| 12. Justicia. | 26. Cortesía. |
| 13. Escasez. | 27. Sabiduría. |
| 14. Belleza. | 28. Optimismo. |

**273. Explique el sentido de las siguientes construcciones con el verbo PEGAR**

1. Me has pegado el catarro.
2. Su padre le pegó una soberana paliza.
3. Al ver el ratón, pegó un salto.
4. Cuando se enteró de su ruina, se pegó un tiro.
5. Se han pegado las judías.
6. A ver si dejas de poner pegas a todo.

# Apuntes de clase

**274.** Complétese el sentido de las siguientes frases con una de estas palabras: **EN, SOBRE, POR, ENCIMA (DE), ALREDEDOR (DE).** Algunos ejemplos admiten más de una forma

1. Tiene guardado el dinero ...... el cajón de su escritorio.
2. En el piso de ...... vive un matrimonio extranjero.
3. Y ...... me dijo que yo tenía la culpa de todo.
4. Juan Sebastián Elcano fue el primero en dar la vuelta ...... el mundo.
5. No opino nada ...... el particular.
6. ...... no pagar, nos insulta. ¡Es el colmo!
7. Quiere que todo el mundo gire ...... él. ¡Es un déspota!
8. ...... tus circunstancias yo no haría eso.
9. Me gusta mucho pasear ...... las calles cuando tengo tiempo libre.
10. Se presentó con un coche último modelo en el barrio; en seguida se formó un grupo de curiosos ......
11. El cenicero está ...... la mesa.
12. Los aviones enemigos dieron unas cuantas pasadas ...... el portaaviones.
13. Llevaba una cadena de plata ...... el cuello.
14. ¡Pon el abrigo ...... la percha!
15. Dejó la cartera ...... la silla.
16. ......Avila hay una muralla medieval magníficamente conservada.
17. ...... los campanarios de las iglesias castellanas suele haber nidos de cigüeñas.
18. ...... el cielo se veían enormes bandadas de gorriones.

**275.** Complétese el sentido de las siguientes frases con una de estas palabras: TRAS, ATRAS, DETRAS (DE), DESPUES (DE). Algunas frases admiten más de una forma

1. ...... la tempestad vino la calma.
2. Por favor, no se coloquen tan ......
3. El libro está ...... ese jarrón.
4. Los examinandos fueron entrando uno ...... otro en el aula.
5. No sé quién está ...... mí, pero sé quién está delante.
6. En esta vida es más práctico mirar hacia delante que hacia ......
7. ...... el edificio en construcción había un garaje.
8. ...... que termine el concierto iremos a tomar café.
9. A los nuevos se les entrevistará ......, ahora estamos con los antiguos.
10. ...... esa sierra se extiende una inmensa llanura.
11. Anda ...... esa chica hace mucho tiempo.
12. ...... que termines de hablar me gustaría hacer unas observaciones.

**276.** Rellénense los espacios en blanco con una de las siguientes palabras: PERO, SINO, SI NO

1. El chico tiene inteligencia, ...... le falta aplicación.
2. ......vienen Vds. a tiempo anularemos las reservas de localidades.
3. No es de ti de quien me quejo, ...... de tu cuñado.
4. Convendría que nos pasáramos por su oficina, ......, no podremos cobrar.
5. No habla inglés ...... lo entiende y lo escribe bastante bien.
6. Lamento tener que desilusionarle ...... su ejercicio es bastante mediocre.
7. ...... no me ha dicho Vd. que iba a estar allí toda la tarde.
8. ...... fuera porque le debo ese favor le hubiera mandado a freír espárragos.
9. No sólo se codeaba con la alta sociedad, ...... que también alternaba con los humildes.

## 277. Díganse los verbos correspondientes a los siguientes sustantivos

| | | | |
|---|---|---|---|
| 1. | Humo. | 11. | Fruto. |
| 2. | Atajo. | 12. | Zapato. |
| 3. | Calor. | 13. | Cuadro. |
| 4. | Papel. | 14. | Rueda. |
| 5. | Sonido. | 15. | Cristal. |
| 6. | Sistema. | 16. | Realidad. |
| 7. | Sueño. | 17. | Edificio. |
| 8. | Corrección. | 18. | Resumen. |
| 9. | Teléfono. | 19. | Acento. |
| 10. | Raya. | 20. | Línea. |

# Apuntes de clase

**278. Complétense las frases que van a continuación con una de estas palabras: AUN, TODAVIA, YA. Algunos ejemplos admiten más de una forma**

1. ¿Llueve? No, ...... no.
2. ...... sigue empeñado en salir de excursión.
3. ...... se ven aquellos vistosos coches de caballos por las calles de Madrid.
4. El trimestre que viene empezamos ...... el curso superior de español.
5. Le quedan ...... energías para muchos años.
6. ...... hemos estado en Canarias anteriormente.
7. ¡Qué lástima! ...... se acabaron las vacaciones.
8. No es ...... hora de acostarse.
9. ¿Te vas ......? No, ...... no, ...... me quedaré un ratito.
10. ¿Pero ...... no has rellenado la solicitud? ¡Qué tranquilo eres!

**279. Hágase lo mismo con una de las siguientes palabras: LUEGO, ENTONCES, DESPUES**

1. Estoy muy ocupado, te veré ......
2. ¡Hasta ......!, te espero a la tertulia, dijo ...... Pedro.
3. Las palabras de tu amigo le irritaron; ...... cogió su abrigo y se marchó.
4. De momento esperen ahí sentados; ...... les daré indicaciones más precisas.
5. Por aquel ...... se vendía la naranja muy barata.
6. Pienso, ...... existo.
7. ¿Pero, ......, no es verdad lo de tu hermano?

## 280. Complétese el sentido de las siguientes frases con una de estas palabras: DONDE, CUANDO, COMO, SEGUN, CUANTO

1. ...... más le oigo, más me duele la cabeza.
2. En ...... termine usted esa carta, pase a mi despacho.
3. Te lo digo ...... me lo contaron, sin omitir una sola palabra.
4. ...... bebió más de la cuenta, tuvimos que llevarlo a casa.
5. ...... el relato de los testigos, el accidente pudo evitarse.
6. Iban acomodándose ...... entraban.
7. ...... voy avanzando en este estudio, me voy entusiasmando con el tema cada vez más.
8. En ...... a tu petición, me temo que ha sido denegada.
9. Me gustaría tener un piso ...... no haya ruidos.
10. Ha subido el pan, de ...... se deduce que los demás artículos también van a subir.
11. Déjate caer por casa ...... quieras; serás bien recibido.
12. Ese palacio destruido es de ...... la guerra.
13. Para ...... mi hijo esté en edad de casarse, estaré ya hecho un viejo.
14. ...... no sabía inglés le denegaron la beca para Estados Unidos.
15. Estoy de acuerdo con la idea, pero ...... y cómo se lleve a cabo.

## 281. Rellénense los puntos con una de las siguientes palabras: YA QUE, PORQUE, PUES, COMO, PUESTO QUE, MIENTRAS. Algunas frases admiten más de una forma

1. ...... he nacido en Andalucía, soy muy sensible al frío.
2. Decidimos hacer el viaje por carretera, ...... los trenes iban demasiado llenos.
3. Aprendió a jugar al tenis ...... estudiaba en Oxford.
4. El centro de España es seco, ...... que el norte es húmedo.
5. ...... te empeñas en saberlo, te diré que no hemos contado contigo ...... antes no colaboraste.
6. ¡Así ...... os gusta mi cuadro!
7. ¿Quieres venir?, ...... entonces paga tu parte.
8. Abandonó la Universidad ...... quería dedicarse a hacer cine.
9. Vendió el coche, ...... le ocasionaba más gastos de los que le permitía su presupuesto.
10. ...... este hotel está siempre lleno, los conserjes le tratan a uno a patadas.
11. ...... subía las escaleras oí una discusión en la portería.
12. Niño, ...... no seas bueno, se lo digo a tu padre.

## 282. Dígase el nombre que corresponde a los siguientes conceptos

1. La parte exterior de una naranja.
2. El exterior de la manzana.
3. La parte exterior del pan.
4. La parte amarilla del huevo.
5. La parte blanda del pan.
6. La parte exterior del huevo.
7. La parte dura de la aceituna.
8. La parte blanca del huevo.
9. La parte dura de las uvas.
10. Los huesos del pescado.
11. La parte dura del melocotón.
12. La parte exterior del tronco de un árbol.

## 283. Explíquese el sentido de las palabras en cursiva sacadas de los periódicos

1. Manuel Rodríguez ha resultado herido *de pronóstico reservado*.
2. *Se traspasa local* céntrico con amplias facilidades de pago.
3. Mañana, en la iglesia del Sagrado Corazón, tendrá lugar *el enlace* Rodríguez Suárez-Zayas Gutiérrez.
4. Durante su estancia en Barcelona *se hospedará* en el Hotel Pacífico.
5. *Perece atropellada* una anciana de 78 años.
6. *La esquela mortuoria* ha aparecido esta mañana en todos los periódicos nacionales.
7. *Ecos de sociedad*: La Condesa de Candás ha presidido *la apertura* de la exposición de los «amigos de la cultura».
8. Se ha cometido un audaz *robo* en uno de los museos londinenses más importantes.
9. *El artículo de fondo* de hoy trataba del terrorismo.

# Apuntes de clase

**284. Complétese el sentido de las siguientes frases con una de estas palabras o expresiones: AUNQUE, POR MUCHO QUE, POR MAS QUE, SI BIEN, ASI, (POR, A) POCO QUE. Algunos ejemplos admiten más de una forma**

1. ...... había vivido muchos años en Hamburgo, no tenía idea de alemán.
2. No cedas ...... te lo pida de rodillas.
3. ...... tenía gran facilidad de palabra, sus conferencias resultaban muy superficiales.
4. ...... te esfuerces, aprobarás el examen; está tirado.
5. No le confíes nada ...... insista.
6. ...... frotes, no sacarás esa mancha.
7. Van pavimentando todas las calles del pueblo, ...... está costando un dineral.
8. ...... sabía tocar el piano, no le gustaba hacerlo en público.
9. ...... lo retoques, te quedará perfectamente el vestido.
10. ¡...... se juega al tenis! ¡Sí, señor!

**285. Colóquese una de estas palabras o expresiones en las frases que van a continuación: SI, CON TAL QUE, SIEMPRE QUE. En algunos casos hay dos posibilidades**

1. Te dejo el tocadiscos ...... no lo trates mal.
2. ...... me haces esa gestión, te invito a una comida.
3. No sé ...... entendió bien lo que le dije.
4. ...... recibe dinero no quiere saber nada de los amigos.
5. Te acompañaré hasta la agencia ...... tú me acompañes luego al centro.
6. ...... trabaje Vd. tendrá aquí empleo seguro.
7. ...... te ha tocado la lotería, ya podías prestarme el dinero que necesito.
8. No importa lo que digan o hagan ...... se porten bien aquí.

**286. Háganse frases con los siguientes pares de palabras mostrando claramente su diferencia de uso y significado**

1. Yema. — Clara.
2. Concurso. — Competición.
3. Guión. — Esquema.
4. Sesión. — Función.
5. Bulto. — Paquete.
6. Tema. — Tópico.
7. Archivo. — Fichero.
8. Trayecto. — Recorrido.
9. Marrón. — Castaño.
10. Castaño. — Moreno.

**287. ¿Qué significan las siguientes expresiones?**

1. Parabrisas.
2. Paraguas.
3. Aguafiestas.
4. Cortafuegos.
5. Limpiabotas.
6. Engañabobos.
7. Vivalavirgen.
8. Cazadotes.
9. Buscavidas.
10. Perdonavidas.
11. Lanzallamas.
12. Francotirador.
13. Sabelotodo.
14. Caradura.
15. Matasanos.
16. Metepatas.
17. Métementodo.
18. Entreacto.
19. Entrevista.
20. Sinvergüenza.
21. Sobremesa.
22. Antesala.
23. Vaivén.
24. Bancarrota.

**288. Explíquese el sentido de las siguientes frases con IR**

1. Siempre van bien vestidos.
2. ¡Vayan terminando sus ejercicios!
3. ¡Vaya Vd. a saber lo que pasará en las próximas elecciones!
4. Las cosas no siempre salen bien, ¡qué le vamos a hacer!
5. ¿Qué tal le va, amigo?
6. ¿Se solucionó su caso? ¡Qué va!
7. Van diciendo por ahí que les ha tocado la lotería.
8. ¡Vamos!, que hay prisa.
9. ¡Sereno! ¡Va!
10. ¡Vete a paseo!

---

# CURSO INTENSIVO DE ESPAÑOL

### GRAMATICA

**Niveles elemental e intermedio.**—Fernández, Siles, Fente.

### EJERCICIOS PRACTICOS

Niveles de **iniciación** y elemental.—Fente, Fernández, Siles.
Clave y guía didáctica.
Niveles elemental e **intermedio.**—Fente, Fernández, G. Feijóo, Siles.
Clave y guía didáctica.
Niveles intermedio y **superior.**—Fente, Fernández, Siles.
Clave y guía didáctica.

## PROBLEMAS BASICOS DEL ESPAÑOL

**El artículo.** Sistema y usos.—F. Abad Nebot.
**Perífrasis verbales.**—Fente, Fernández, G. Feijóo.
**Los pronombres.**—A. Porto.
**El subjuntivo.**—J. Fernández.

---